BABY
management

BABY
management
MINDER STRESS • MEER GENIETEN

BEATRIX KRUSE

DELTAS

Title of the original German edition: *Baby-Management* (Beatrix Kruse)
© MMVI Droemersche Verlagsanstalt TH. Knaur Nachf. GmbH & Co. KG, München.
All rights reserved.
© Zuidnederlandse Uitgeverij N.V., Aartselaar, België, MMVIII.
Alle rechten voorbehouden.
Deze uitgave door: Deltas, België-Nederland.
Nederlandse vertaling: Marjan Lindt
Gedrukt in België

D-MMVII-0001-291
NUR 853

Illustraties
Irma Schick
Foto van de auteur
Kung Shing

Voor Ole en Fee, mijn schitterende EasyBaby's
En voor Oliver

Inhoud

Deel III: wat het moederschap met je doet

Babymanagement:
de kunst om minder te doen

Een doorsnee gezin. De moeder: overwerkt en gespannen. De kinderen: ongelukkig, ontevreden, allerlei problemen en nog amper in de hand te houden. We zijn er ondertussen zo aan gewend, dat het inmiddels normaal is geworden.

Toch is het totale waanzin. Het is niet normaal dat de moeder overspannen en de kinderen lastig zijn. Zo was het niet gepland. Eigenlijk zijn het niet de kinderen die op onze zenuwen werken, maar al onze overbodige en zwaar overtrokken verantwoordelijkheden. Eigenlijk zijn de kinderen helemaal niet moeilijk, maar ze hebben het moeilijk met een misgelopen opvoeding.

Als in een bedrijf het management voortdurend overbelast is en tegelijkertijd de sfeer niet goed is, dan is het heel duidelijk: hier moet iets aan gedaan worden. In zo'n bedrijf moeten er nieuwe regels komen voor de samenwerking. Het moet heel anders geleid worden; er is een nieuw management nodig.

Wat in het bedrijfsleven zo vanzelfsprekend is, geldt ook voor het gezin. Overspannen ouders en moeilijke, ontevreden kinderen mag je niet zomaar als vanzelfsprekend aannemen. Ook hier moet er wat veranderen. En wel vanaf het begin. We hebben nieuwe regels nodig voor de omgang tussen moeder en baby. We hebben een nieuw 'babymanagement' nodig. Een nieuw opvoedingsconcept dat onze kinderen gelukkiger maakt en onze moeders voor een zenuwinzinking behoedt. Dit concept heet **EasyBaby**. **EasyBaby**, want het zou eigenlijk gemakkelijk moeten zijn om een kind te hebben – en geen krachttoer.

EasyBaby maakt het leven met een baby gemakkelijk. Het concept vraagt niet steeds meer van de moeder, maar leert haar juist de kunst om minder te doen. Want het is de filosofie van het steeds-meer-doen die onszelf en onze kinderen de das omdoet. **EasyBaby** onderscheidt zich van dit absurde perfectionisme en helpt je om datgene te ontdekken wat altijd al in jou gezeten heeft: het vermogen om op een ontspannen manier een goede moeder te zijn.

EasyBaby is een kunst die iedereen kan leren en die bij ieder kind positieve resultaten oplevert. Maar het is ook een kunst die een heel nieuwe manier van denken vraagt. Dit boek maakt je stap voor stap warm voor deze manier van denken.

EasyBaby is een modern opvoedingsconcept dat al vanaf de eerste levensdag begint en ouders goed door het eerste jaar loodst. Het gaat vooral uit van de baby met al zijn facetten, maar vraagt niet van de moeder dat ze de slavin van de pasgeborene wordt. **EasyBaby** ziet in de baby een mens die met respect en niet met onderworpenheid behandeld moet worden. Met **EasyBaby** geef je je kind een optimale start in het leven.

De **EasyBaby**-methode kan (en moet) door moeders en vaders gebruikt worden. Toch richt dit boek zich in eerste instantie tot de moeders, want dit is niet alleen een opvoedingsboek, maar ook een afrekening met het moederbeeld in onze maatschappij. Ook om praktische redenen is dit boek speciaal voor vrouwen geschreven. Net als vroeger zijn het vooral de moeders die het eerste jaar dagelijks met de baby bezig zijn. Zij zijn dus ook degenen die beslissen op welke manier de baby opgevoed wordt – en dus ook of ze hierbij de **EasyBaby**-methode willen gebruiken. Als ze zelf niet overtuigd zijn van de methode, zal de vader van hun kind hen er ook niet toe kunnen aanzetten om **EasyBaby** te gebruiken. Maar als ze er wel voor gekozen hebben, is het schitterend als de vader ook mee wil doen. Want de voornaamste steun voor een ontspannen moederkindrelatie is een functionerende, liefhebbende relatie met de partner.

Beatrix Kruse

Deel I

Afscheid van
	het perfectionisme

De **EasyBaby**-methode:
Waarom ontspannen moeders gemakkelijke, gelukkige baby's hebben

Wat is het verschil tussen een eerste kind en het tweede (of derde) kind? Vooral dat het tweede kind minder heeft.

Minder aandacht, minder structuur, minder zorgen, minder stimulatie, minder controle, minder individuele tijd, minder inspanningen.

En: **minder problemen**.

Toen ik ooit met een beroemde opvoedingsdeskundige sprak over de betekenis van broers en zussen, verwachtte ik te horen dat het tweede kind het wat moeilijker heeft. Maar de professor had precies het tegengestelde gemerkt. Hij had vastgesteld dat oudste kinderen opvallend meer en opvallend zwaardere problemen hebben in het leven dan hun jongere broers en zussen.

De simpele verklaring: bij het eerste kind zijn alle ouders beginners, en beginners maken veel fouten. Fouten waar het oudste kind later in zijn leven de gevolgen van draagt.

Dat klinkt plausibel, maar ik was toch verrast, want ik wist heel goed hoe veel inspanningen er bij het eerste kind komen kijken. En het is toch altijd weer: hoe meer men zich inspant, hoe beter het resultaat. Of niet? Als dat waar zou zijn, zouden oudste kinderen prachtige vooruitzichten moeten hebben. Hun ouders zijn honderd procent gemotiveerd en vastberaden om het allerbeste te doen voor hun kind. Deze overtuiging is duidelijk een stuk minder bij een tweede kind, al was het maar omdat de ouders hun inspanningen nu over twee kleine mensen moeten verdelen.

Zelfs voor het eerste kind geven veel moeders een tijdje hun werk op. Beide ouders bereiden zich door middel van literatuur en allerlei cursussen voor op het komende ouderschap. Als het kind er eenmaal is, zijn ze bereid hun leven van de ene dag op de andere om te gooien om zich helemaal in dienst van het kind te stellen. Ze sparen kosten noch moeite. Er is letterlijk geen prijs te hoog. Zelfs als hun relatie daaronder lijdt. 'Zo gaat dat nu eenmaal als je een baby hebt', hoor ik van veel ouders met kleine kinderen.

'Op een of andere manier is het toch mooi', wordt dat statement dan graag aan de kant geschoven. Maar op een of andere manier ziet het er echt niet naar uit dat het allemaal zo fantastisch is. Wie aan een kersverse moeder denkt, ziet een uitgeputte, gestreste vrouw voor zich met donkere randen onder haar ogen, iemand die nog net met moeite een samenhangend gesprek kan voeren. Ze lijkt meer op iemand die door het noodlot getroffen is. Je moet deze vrouw troostend over haar hoofd aaien en zeggen: 'Het is allemaal niet zo erg. Het zal wel beter worden. Rust eerst maar eens goed uit.'

Later misschien. Want in het begin heeft de overspannen moeder daar helemaal geen tijd voor. Zwangerschapsyoga of babymassage: voor hun eerste kind doorlopen bijna alle ouders – en dan natuurlijk vooral de moeders – het hele programma. En dat moet nu allemaal opeens verleden tijd worden?

Daar ziet het wel naar uit, want veel jonge gezinnen kunnen vergelijken met het tweede kind. Prenatale gymnastiek, babyzwemmen, allerhande babyactiviteiten of cursussen voor baby's – dat wordt allemaal bijna uitsluitend gevolgd voor het eerste kind. Bij het tweede kind hebben de ouders gewoon de tijd, de energie of de motivatie daar niet meer voor. En het is daarbij heel interessant om te zien dat deze tweede kinderen, die op het eerste gezicht benadeeld worden, het later in het leven gemakkelijker hebben.

De **EasyBaby**-methode is vanuit deze vaststelling gegroeid. Ouders hebben nog nooit zo veel geld uitgegeven aan hun kinderen als tegenwoordig. Maar onze kinderen hebben meer problemen dan vroeger. En ook het feit dat jongere kinderen over het algemeen gelukkiger en weerbaarder in het leven staan, geeft duidelijk aan dat opvoeding niet werkt volgens het principe meer-geeft-meer. Integendeel, kinderen lijken er wel bij te varen als ze niet voortdurend aandacht krijgen.

Het wordt dus tijd voor een nieuw opvoedingsconcept. Een opvoedings-concept dat resoluut afstapt van het perfectionisme en juist steunt op rust, vertrouwen en respect.

De basisgedachte van de **EasyBaby**-methode is: kinderen hebben op de eerste plaats behoefte aan ontspannen, gelukkige ouders. Het laatste wat kinderen nodig hebben zijn een hectische en gespannen moeder en va-der, die uit angst om iets verkeerd te doen bij de opvoeding nog perfecter willen zijn.

Afstand nemen van het perfectionisme – dat is de kern van de **Easy-Baby**-methode. Het gaat eigenlijk om 'minder doen'. Als je minder doet, minder tussenbeide komt, minder aandringt, minder stimuleert en min-der afremt, geef je je kind vanzelf meer geluk en een groter gevoel van tevredenheid.

Klinkt dat veel te simpel? Zo eenvoudig kan het toch niet zijn? Voor veel mensen is minder doen moeilijker dan veel doen. Net zoals het voor minstens evenveel mensen moeilijker (maar beter) is om weinig te eten dan om veel te eten.

Achter het minder doen zit een houding die we vroeger instinctief be-zaten, maar die we nu weer moeten aanleren. Een houding van 'meer hebben'.

Wie minder doet, heeft meer:

* meer respect voor zijn kind
* meer vertrouwen in het leven

Deze houding maakt van onze baby's gelukkige mensen. En ook van hun ontspannen en tevreden moeder. Gelukkige moeders hebben – inder-daad – gelukkige kinderen.

EasyBaby helpt je om deze houding aan te leren. Het is natuurlijk ideaal als je al tijdens de zwangerschap vertrouwd raakt met deze methode. Dan vermijd je heel wat struikelblokken en kun je vanaf de eerste dag van je baby genieten. Maar natuurlijk kun je op elk moment beginnen. Het is echt niet te laat om je houding te veranderen en het leven voor jezelf en je baby gemakkelijker te maken.

EasyBaby is geen geheime wetenschap en zeker niet moeilijk te leren. In principe is het iets dat iedere moeder van twee of meer kinderen op den duur vanzelf leert. Maar waarom zou je zo lang wachten, als je de kans hebt om nu al iets goeds voor je baby te doen?

EasyBaby-regel nr. 1: Hoe meer ontspannen je bent, hoe beter je baby zich voelt.

EasyBaby-regel nr. 2: Vertrouw op jezelf, je baby en het leven. De meeste problemen lossen zich vanzelf op.

De moedermythe:
Je bent een moeder – geen God

Als we die kleine baby voor de eerste keer in onze armen houden, weten we dat alle prioriteiten voorgoed verschoven zijn. Opeens is de wereld heel eenvoudig geworden: wij zijn alles voor de baby. De baby is alles voor ons. Al het andere is bijkomstig.

Dit kleine bundeltje is vanaf nu nummer één in ons leven, onze belangrijkste opdracht, onze grootste verplichting. We weten dat deze baby voor honderd procent op ons aangewezen is. Zonder ons zou hij verhongeren, bevriezen of van ellende sterven. Als we nu alles goed doen, zal het hem goed gaan. De toekomst van deze baby ligt in onze handen. Hij heeft ons nodig, zoals nog nooit iemand anders ons nodig gehad heeft. Zo moet God zich ongeveer gevoeld hebben toen hij de mens geschapen heeft.

De mythe: je kunt alles maken van een baby

Vrouwen in de westerse wereld worden systematisch op dat gevoel voorbereid. Het idee van Sigmund Freud dat de relatie met de moeder de oorsprong is van alle psychologische problemen, heeft onze hersenen als een hardnekkig virus geïnfecteerd. Terwijl Freud zich concentreerde op de negatieve impact van de moeder, zagen de behavioristen in de jaren '40 en '50 alles net andersom. Moeders zijn – als ze hun taak naar behoren uitvoeren – ook de oorzaak van alle positieve ontwikkelingen bij een kind. De behavioristen, die in hun tijd zeer veel invloed hadden, hebben er dan ook toe bijgedragen dat die mythe van almachtigheid in ons hoofd verankerd is.

Opvoeding kan van elke baby alles maken, dat is de opvatting van de behavioristen. John Watson, één van de grondleggers van die leer, wilde dat ook bewijzen. Hij zou zich ontfermen over twaalf gezonde zuigelingen die hij allemaal willekeurig in een bepaalde richting kon vormen: als kunstenaar, advocaat, dief of bedelaar. Gelukkig is niemand op het idee gekomen om Watson aan zijn woord te houden.

Ondertussen weten we heel wat meer over de ontwikkeling van kinderen. **EasyBaby** is gebaseerd op deze moderne wetenschappelijke gegevens en gaat er dus van uit dat de invloed van ouders op de kinderen duidelijke grenzen kent. Een baby is geen kneedbare massa die je naar je eigen wensen kunt vormen. Een baby is vanaf de eerste dag een volledig mens met een complete persoonlijkheid. Deze persoonlijkheid kun je – door zwaar misbruik – altijd verstoren, maar je kunt die niet wezenlijk veranderen. Ouders kunnen van een verlegen kind geen durfal maken en van een actief kind geen dromertje.

Een hele reeks nieuwe studies – vooral rond de werking van de hersenen – zegt dat de almacht van de moeder niet zo veel voorstelt. Ook onderzoek met tweelingen geeft sinds jaar en dag spectaculaire voorbeelden van hoe sterk volwassen eeneiige tweelingen op elkaar lijken, ook al groeien ze in andere gezinnen op. We kennen allemaal die verhalen. Als we tweelingen die apart opgegroeid zijn vergelijken met tweelingen die in hetzelfde gezin opgegroeid zijn, dan stellen we vast dat er geen verschil is. Tweelingen met dezelfde ouders vertonen niet meer overeenkomsten en niet minder verschillen dan tweelingen die meteen na de geboorte gescheiden zijn.

Dat is allemaal bekend, maar het wordt door opvoedingsdeskundigen algemeen genegeerd. Misschien omdat de mythe van de almachtige moeder zo gemakkelijk is. Wie almachtig is, heeft namelijk niet alleen alle kaarten in zijn hand, maar is daardoor ook voor alles verantwoordelijk. En natuurlijk vooral als er iets misloopt. Met deze angst als stok achter de deur zijn moeders verschrikkelijk manipuleerbaar en kunnen alle anderen – leraren, dokters, politici en andere betrokkenen – hun handen in onschuld blijven wassen.

Zodra een vrouw in verwachting is, wordt die hersenspoeling in werking gezet. Wat ze eet, of ze sport of veel werkt – alles wordt van cruciaal belang voor leven of dood van de ongeboren baby. Je was tijdens de zwangerschap vaak depressief en verdrietig? Geen wonder dat je kind nu hyperactief is. Je kind is met een keizersnee geboren? Geen wonder dat het een huilbaby is. Je hebt geen borstvoeding gegeven (of niet lang genoeg)? Geen wonder dat de kleine neiging heeft tot overgewicht. Onze kleinste actie blijkt zware en onomkeerbare gevolgen te hebben voor ons kind.

De waarheid: je invloed is beperkt

EasyBaby daarentegen zegt: je kind is in wezen wie het is. Je grootste en belangrijkste opdracht is om de persoonlijkheid van je kind zo goed mo gelijk te leren kennen en hem te leren hoe hij met deze persoonlijkheid in de wereld kan functioneren.

Wat dat concreet betekent, zien we goed aan het voorbeeld van de intelligentie. Ouders die een middelmatig begaafd kind intensief stimuleren, kunnen daarmee bereiken dat het kind zijn potentieel beter gebruikt dan andere middelmatig begaafde kinderen. Maar op dat potentieel hebben de ouders hoegenaamd geen invloed: dit kind wordt geen genie. Talrijke gevallen waarin hoogbegaafdheid pas laat wordt ontdekt bewijzen daarentegen dat intelligentie zich ook zonder speciale aandacht wel ontwikkelt. Ouders kunnen hun kind   ook door misbruik – echt niet dom houden. Onderzoek bij adoptiebroers of -zussen bewijzen het telkens weer: ondanks een identieke opvoeding en stimulans hebben ze niet hetzelfde IQ.

Deze wetenschappelijke kennis verwerven de meeste ouders zonder ook maar één boek te lezen. Op een dag krijgen ze een tweede kind en stellen ze tot hun grote verwondering vast dat de nieuwe baby zich heel anders ontwikkelt dan het eerste kind.

Dat gebeurde ook bij Sofie:
'Bij het eerste kind had ik nog de illusie dat ik voor mijn zoon het middelpunt van de wereld was. Hoewel ik het niet hardop zei, dacht ik toch ergens: "Alles wat hij is, is hij door mij. Alles wat hij kan, kan hij door mij." Maar natuurlijk ook omgekeerd: "Alles wat verkeerd gaat, is mijn schuld." Ik dacht dat Paul zo graag aan sport deed, omdat ik zijn sportiviteit altijd gestimuleerd had. Maar ik maakte mezelf ook veel verwijten, omdat hij zo slecht sliep en vaak zo bang was.

Toen werd onze dochter geboren. En toen leerde ik bescheidener te zijn. Hoewel ik zo veel mogelijk alles hetzelfde deed als bij Paul, ontwikkelde Celine zich helemaal anders. Ze is luidruchtig en uiterst zelfbewust. Terwijl Paul in grote lijnen doet wat ik zeg, is Celine verschrikkelijk koppig. Ze weet precies welke kleren ze aan wil, wat ze wil eten of spelen, en is daar dan maar moeilijk van af te brengen. Aan de andere kant is ze echt een zonnestraaltje. Ze is heel charmant en bijna iedereen – kinderen en volwassenen – voelt zich tot haar aangetrokken. Nu heb ik twee kinderen en de verschillen kunnen niet groter zijn. En nu weet ik: het ligt niet aan mij. Natuurlijk behandel ik ze intussen niet meer op dezelfde manier. Gewoon omdat ze niet hetzelfde zijn.'

Hoewel dat gevoel van almachtigheid soms heel mooi kan zijn, werkt de boodschap dat onze invloed beperkt is toch bevrijdend.

De Amerikaanse neurowetenschapper Steve Petersen is van mening dat je alleen het volgende met zekerheid kunt zeggen: 'Sluit je kind niet in een kast op. Laat het niet voor je ogen verhongeren. En sla hem niet met een koekenpan op zijn hoofd.' Zolang je je kind niet mishandelt en hem met respect behandelt, kun je niet zo verschrikkelijk veel verkeerd doen. Zijn persoonlijkheid zal door jou geen wezenlijke schade oplopen.

Een concreet voorbeeld: stel je ouders voor die nooit met hun kind praten, geen liedjes voor hem zingen, nooit dadadada en dududududu doen. Erger nog: ze reageren gewoon helemaal niet als de baby iets zegt. Hij huilt vaak, maar de ouders negeren hem. En zelfs als hij zijn eerste woordjes zegt, blijven de ouders onbewogen. De baby zegt: 'dada' of misschien 'mama', maar mama zwijgt. Ze merkt niet eens dat de baby iets gezegd heeft.

Zou je niet denken dat de baby daar automatisch grote schade door oploopt? Dat dit geen gezonde, vrolijke, psychisch stabiele volwassene kan worden? Dat hij minstens blijvend een spraakprobleem zal hebben? Zou je niet denken dat zulke ouders onmiddellijk voor de jeugdrechter gesleept moeten worden?

De waarheid is dat er duizenden baby's zijn die op die manier opgroeien. In alle landen, ook in Nederland en België. Ze vertonen niet meer gedragsproblemen dan andere kinderen. Ze leren zonder problemen praten. Het worden heel normale volwassen mensen. In ieder geval niet minder dan kinderen uit andere gezinnen. Het zijn de gezonde kinderen van doofstomme ouders. De Amerikaanse Judith Rich Harris heeft onder andere met dit voorbeeld aangetoond dat de belangrijkste bron voor kinderen niet de ouders zijn, maar andere kinderen.

Betekent dit dat het niet uitmaakt wat we doen? Hoe we met onze baby en met opgroeiende kinderen omgaan? Zeker niet. Net zomin als in de omgang met je partner. De manier waarop je je partner behandelt, heeft vermoedelijk weinig invloed op zijn persoonlijkheidsontwikkeling, maar het heeft wel een grote invloed op zijn geluk en op de relatie die jullie met elkaar hebben. Dat geldt ook voor je kind. Bij een kind komt daar natuurlijk bij dat het volledig van jou afhankelijk is. Je partner kan van je scheiden als je hem slecht behandelt. Je kind is aan jou overgeleverd.

Judith Rich Harris beschrijft datgene wat overblijft na het afscheid van de mythe van de almacht heel mooi: 'De toekomst van onze kinderen ligt wellicht niet in onze handen, maar zeker wel hun heden, en we hebben het vermogen daar een hel van te maken.'

Dat is geen almacht meer, maar het is en blijft wel een grote verantwoordelijkheid.

Misschien toont het voorbeeld van gehandicapte moeders wel heel goed aan hoe je deze verantwoordelijkheid moet zien. Zij zijn namelijk een mooi bewijs dat alles wat voor ons onmisbaar lijkt voor een baby, helemaal niet zo belangrijk is. Een doofstomme moeder kan haar baby niet horen en er niet mee praten. Een moeder in een rolstoel kan haar baby bij een huilbui niet zomaar oppakken. En een MS-patiënte kan haar baby soms zelfs niet op de arm houden.

Als we naar zulke gezinnen kijken, zien we in dat dit allemaal bijkomstigheden zijn. Dat het daar echt niet op aankomt. Het komt op de liefde aan. De echte liefde, niet de liefde die pedagogisch voorgeschreven wordt. We kunnen niet alleen maar van onze kinderen houden omdat we weten dat ze onze liefde nodig hebben. Wat is dat voor liefde? En wie heeft zulke liefde nodig? Zelfs een baby weet heel goed het verschil tussen echte, spontane genegenheid en onderdrukte woede die achter een lach of een omhelzing verborgen wordt. Het is niet het lichamelijke contact in de manier van communiceren die belangrijk is, maar het gevoel dat erachter zit.

En dat echte gevoel uit je altijd op een of andere manier. Dat kun je niet verhinderen. Als ik de liefde voor mijn baby niet kan uitspreken, dan kus en knuffel ik hem. En als ik mijn kind niet op mijn arm kan nemen, dan kan ik tegen hem lachen en een liedje voor hem zingen. De liefde vindt wel een weg naar buiten. De liefde zal ervoor zorgen dat het heden van onze kinderen de moeite waard is. En dat maakt het verschil. Al het andere ligt niet in onze macht.

EasyBaby-regel nr. 3: Een baby is vanaf de eerste dag een mens met een eigen persoonlijkheid. Deze persoonlijkheid kunnen ouders niet veranderen, alleen verstoren.

EasyBaby-regel nr. 4: Het is niet jouw taak om de persoonlijkheid van je kind te vormen. Het is jouw taak om zijn persoonlijkheid goed te leren kennen en hem te leren daarmee te functioneren in de wereld.

EasyBaby-regel nr. 5: De toekomst van je kind ligt niet in jouw handen. Wel zijn heden. En die verantwoordelijkheid is al zwaar genoeg.

EasyBaby-regel nr. 6: De liefde voor je kind is het belangrijkste. Al het overige ligt niet in jouw macht.

De mythe van het zware moederschap:
Moeder zijn is toch hard werken?

'Een echte moeder zit amper minder opgesloten in haar huis dan een non in haar klooster… Meisjes moeten daar op tijd aan leren wennen.' Degene die dit eigenzinnige standpunt naar voren bracht, was natuurlijk een man en hij gaat door voor één van de grondleggers van de moderne opvoeding. Eigenlijk had hij moeten weten waar hij het over had, want hij was zelf vader van een aantal kinderen. De Franse filosoof Jean-Jacques Rousseau gaf er in ieder geval de voorkeur aan zijn pasgeboren baby's meteen bij een weeshuis voor de deur te leggen. Blijkbaar was zijn geliefde 'niet op tijd aan de dwang gewend' die een goede moeder van haar had moeten maken.

De mythe: moeders zijn martelaren, kinderen een probleem

Het is interessant om vast te stellen dat bijna alle mensen die tot op heden invloed hebben gehad op ons moederbeeld, mannen waren. Van Rousseau tot Pestalozzi en van Hitler tot dr. Spock, altijd wisten de mannen precies wat vrouwen moesten doen. Kinderen heb je duidelijk niet voor je plezier.

Dat weerspiegelt zich ook in het algemene beeld dat we hebben van kinderen. Kinderen zijn altijd op een of andere manier een probleem en een weliswaar belangrijke maar moeilijke opdracht. Het begint er al mee dat er te weinig kinderen zijn. Een groot probleem! Wie zal ons pensioen betalen?

De paar kinderen die wonder boven wonder toch geboren worden, hebben het in eerste instantie moeilijk. Of ze krijgen te weinig aandacht, of ze worden opgevoed tot tirannen. Ze hebben problemen op school of ze lijden onder hun hoogbegaafdheid. Het worden criminelen of ze hebben in ieder geval geen enkele politieke interesse. Ze leven op de armoedegrens of verdrinken in het speelgoed. Er wordt veel te veel van hen gevraagd of ze worden door luie leraren meer in toom gehouden dan dat ze iets leren. Waar je ook kijkt: verwijtende kinderogen en problemen alom.

Het is eigenlijk verbazingwekkend dat er nog steeds vrouwen zijn die kinderen willen.

Misschien voelen ze toch wel aan dat er na de kraamkamer niet alleen maar kommer en kwel wachten. Anders zou niemand met zoveel enthousiasme aan kinderen beginnen. Nee, we weten allemaal dat er ook gelukkige momenten moeten zijn.

Maar, en dat hebben we ook geleerd, geluk valt je niet zomaar in de schoot. Je moet hard werken voor je geluk en je moet offers brengen. Hoe meer geluk, hoe meer werk. Aangezien kinderen voor een moeder het grootste geluk zijn, brengen ze ook ontzettend veel werk mee en vragen ze heel veel offers.

Wie daar niet toe bereid is, zal snel zien wat de gevolgen zijn. Arme, verwaarloosde kinderen. Kinderziekten of schoolproblemen kun je niet echt vermijden, maar misschien heeft de moeder ook niet genoeg haar best gedaan?

Het is al erg genoeg als onze omgeving zo denkt. Maar het is nog veel erger dat veel moeders dit diep vanbinnen zelf ook geloven. Ze volgen deze 'uit-niets-komt-niets' en 'je-mag-het-jezelf-niet-te-gemakkelijk-maken' theorieën.

Een belangrijk punt in de **EasyBaby**-methode is dat we deze mythe van de kruisgang van het moederschap echt achter ons moeten laten. We mogen niet langer uitgaan van de destructieve gedachte dat moederschap synoniem is met hard werk.

Daarvoor moet je eerst begrijpen waarom we het moederschap automatisch gelijkstellen met offers en ontberingen.

In de allereerste plaats zijn er de verwachtingen van anderen. Van moeders – vooral van moeders met baby's – wordt over het algemeen verwacht dat ze het moeilijk hebben. Verloskundigen zeggen daarom vaak dat je dankbaar moet zijn voor een moeilijke zwangerschap en pijn bij de geboorte, want zo word je voorbereid op dat lastige eerste jaar. Is dat cynisch? Ja, maar jammer genoeg menen ze het heel serieus.

Het zijn niet alleen deze donkere voorspellingen waardoor moeders ervan uitgaan dat de baby hard werk met zich mee zal brengen. Als ze hun werk opgegeven hebben voor het kind, is het kind meteen hun beroep geworden. En het westerse arbeidsethos zegt nu eenmaal dat we in ons werk voortdurend onder hoogspanning moeten staan, dat we niet genoeg tijd hebben en dat we overwerkt zijn. Wie het aandurft om zijn werk heel ontspannen te doen en wie geen stress kent op het werk, wordt in de meeste bedrijven met een scheef oog bekeken. En stel je nu een moeder voor die heel ontspannen vertelt dat ze er nu met de baby eindelijk weer toe komt dikke romans te lezen en nieuwe recepten uit te proberen. Wie denkt dan niet spontaan dat er iets niet klopt?

Normale westerse moeders balanceren dat eerste jaar voortdurend op de rand van een zenuwinzinking. Als de vader – als die er is – 's avonds thuiskomt, duwt ze overspannen de baby in zijn handen en zakt huilend op de bank in elkaar. Dat is geen karikatuur, het is voor ons langzamerhand een normale moeder geworden.

Als diezelfde vrouw twee jaar later een tweede kind krijgt, vraagt niet alleen zijzelf zich af hoe ze dat in godsnaam gaat doen. Maar dan gebeurt het wonder: het gaat toch, ondanks alles, op een of andere manier. En opeens denken alle betrokkenen aan de tijd met één kind terug als aan een paradijs van ontspanning.

Moeder zijn is tegenwoordig niet in de laatste plaats een keiharde baan, want veel vrouwen geven er heel veel voor op. De goed opgeleide, succesvolle vrouwelijke manager met internationale ervaring die voor haar baby haar baan – in ieder geval tijdelijk – aan de kapstok hangt, heeft goede argumenten nodig. Niet zozeer voor haar omgeving, maar vooral voor zichzelf. Ze moet motiveren waarom luiers opeens belangrijker zijn dan haar papieren. En die motivatie is zeker niet: 'Ach, mijn werk was toch veel te stressvol, nu doe ik het rustiger aan.'

Integendeel: hoe meer een vrouw voor haar baby opgegeven heeft, hoe meer ze zal benadrukken hoe belangrijk, zenuwslopend en veeleisend het moederschap is. En ze zal het niet alleen benadrukken, ze zal het ook zo aanvoelen. Terwijl ze op haar werk een toppunt van efficiëntie was en zich niet inliet met details, wordt diezelfde vrouw als moeder opeens een perfectioniste die zich verliest in details. Terwijl ze op haar werk geen probleem had om de stress te controleren, kan ze het als moeder vaak niet meer aan.

Natuurlijk zijn niet alle vrouwen zo. Maar er zijn er maar weinig die het niet stressvoller vinden om 'alleen maar moeder te zijn' dan om acht uur op kantoor te zitten.

Dat heeft er ook mee te maken dat niet elke vrouw zich meteen aanpast aan de verzorging van de kinderen. Als dat wel zo was, zou elke vrouw kinderverzorgster of lerares willen worden. Maar veel vrouwen kunnen zich geen verschrikkelijker beroep voorstellen en voelen zich veel beter in hun baan als modeontwerper of neurochirurg. En wat gebeurt er als de neurochirurg opeens in hoofdberoep moeder van een kleine baby is? Ze raakt gestrest. Hoewel ze gewend is aan nachtdiensten en dagen van 36 uur in het ziekenhuis, raakt ze als 'enkel moeder' wel overspannen. En dat is ook heel normaal. Want elk werk waar we weinig talent voor hebben is vanaf de eerste minuut stressvol.

De klok rond een kind – ook je eigen kind – verzorgen vraagt bepaalde eigenschappen die niet ieder mens heeft. Niet alle vrouwen, en vermoedelijk zelfs maar weinig vrouwen, zijn uitverkoren om voltijds moeder te zijn. Accepteer je eigen sterke en zwakke punten. De poging om iemand te zijn die je gewoon niet bent, of dat nu kunstschaatser of voltijds moeder is, is de directe weg naar ontevredenheid en ergere dingen.

In principe kunnen we zeggen: als je zelf gelooft dat het moederschap gelijk staat met hard werken, zal het ook moeilijk voor je zijn. Dat is de wet van de zichzelf vervullende voorspellingen. Daar kun je niet omheen.

De waarheid: moeder zijn is geen straf, maar een beloning

Het loont dus de moeite om je eigen moederbeeld eens onder de loep te nemen. Welke beelden krijg je voor ogen als je aan moeders denkt? Wat zijn de eerste drie woorden die in je opkomen als je aan een moeder met een baby denkt? Slapeloze nachten, huilen en waterpokken? Of knuffelen, spelen en wandelen?

Als je aan jezelf als moeder denkt, hoe zie je jezelf dan? Actief, dus troostend, voederend, luiers verschonend? Of eerder passief, dus gezellig met de baby op de bank of met een boekje in een ligstoel terwijl je de baby uit je ooghoeken in de gaten houdt?

Natuurlijk horen bij het moederschap zowel de actieve als de passieve kant. En welke kant bij jou meer naar boven komt, heeft ook te maken met je karakter. Maar het zegt ook veel over de verwachtingen die je van jezelf als moeder hebt.

Het beeld van de zichzelf opofferende moeder is heel sterk en overheersend. En het is ook gevaarlijk. En zwaar voor je kind. Niet alleen omdat je door zoveel zelfopoffering zijn ontwikkeling kunt belemmeren, maar je legt ook een emotionele hypotheek op het leven van je kind die hij maar moeilijk kan terugbetalen.

Wie zoveel opgeeft en investeert, wil op een of andere manier ook iets terugkrijgen. Dat is niet egoïstisch, maar normaal. Je zou geen mens zijn als het bij jou anders is. Hoewel je wellicht geen levenslange zichtbare dankbaarheid verwacht, wil je in ieder geval wel een goede relatie met je kind. Maar misschien wil je ook wel wat meer…

Waarom is hoogbegaafdheid bijvoorbeeld al jaren zo'n veelbesproken onderwerp? Omdat veel moeders eindelijk de vruchten willen plukken van hun harde werk! Als je zo veel aandacht en opoffering op zo weinig kinderen concentreert, ben je met een gewoon doorsnee kind niet meer tevreden. Dan verwacht je iets bijzonders, zoals een hoogbegaafd kind. Maar jammer genoeg heeft de intelligentie van een kind niets te maken met de inzet van de moeder.

Het 'slagen' van een kind is nu eenmaal niet de beloning voor het harde werk van de moeder. Hoe meer jij je best doet, hoe slimmer, gelukkiger, mooier en gezonder je kind later wordt? Zo werkt het jammer genoeg niet in het leven. Hardwerkende moeders hebben vaak prachtige kinderen, dat is waar. Maar ook uit moeilijke gezinssituaties groeien vaak schitterende mensen.

Eeuwenlang hebben kinderen weinig aandacht gekregen van hun eigen ouders. Gegoede families lieten de verzorging over aan kindermeisjes en gouvernantes. In armere gezinnen waren ze vaak aan zichzelf of aan oudere broers of zussen overgeleverd en moesten ze vaak vanaf vier of vijf jaar al meehelpen thuis. Bovendien hadden vrouwen zo veel kinderen dat ze niet veel tijd hadden voor elk kind apart.

De laatste decennia beleven we een groot experiment. Want nooit eerder in de geschiedenis hebben kinderen zoveel persoonlijke aandacht en zorg gekregen als in de laatste 50 jaar in de westerse wereld. Wat is het resultaat? Zijn de mensen tegenwoordig gelukkiger, tevredener of slimmer? Moeilijk te zeggen? Dat kun je toch helemaal niet vergelijken?

Goed, dan vergelijken we niet verschillende tijden, maar verschillende landen. In België gaat het normale middenklasse kind al vanaf een paar maanden na de geboorte naar de crèche en de moeder gaat weer voltijds werken. Daarna gaat het hele dagen naar de kleuterschool en de lagere school. In Duitsland wordt het gemiddelde middenklasse kind drie jaar lang alleen maar door de moeder verzorgd. De kleutertuin en de school die daarna komen, zijn meestal halve dagen en 's middags zorgt de moeder er weer voor.

Volgens Duitse maatstaven maken Belgische moeders het zich heel gemakkelijk. Ze zijn alleen 's avonds en in het weekend met het kind bezig. Erger nog: ze hebben zelfs geen slecht geweten. Hun kind is overal altijd eentje van de vele kinderen. Het kan dus amper genieten van de intensieve individuele begeleiding die voor een Duits kind normaal is. Toch vinden Belgische vrouwen zichzelf goede moeders.

En krijgt ze op het einde de rekening daarvoor gepresenteerd? Zijn de Belgen neurotischer, depressiever, dommer of minder tegen het leven bestand dan de Duitsers? Staan de Duitsers bekend als het gelukkigste volk onder de zon? Bij kinderen is er geen onmiddellijke samenhang tussen investering en resultaat. Eerder omgekeerd: het moederschap is een deel van het leven waarin bloed, zweet en tranen weinig opleveren.

Het geheim van succes in de evolutie ligt in de beloningen. De natuur heeft de smaak ontwikkeld om mens en dier te overtuigen voldoende te eten. Daarom is eten niet hard werken, maar genieten. De natuur heeft seks ontwikkeld om de voortplanting te verzekeren. Ook seks is geen grote opgave, maar een genot. Vervolgens heeft de natuur baby's lief gemaakt, zodat we ons er – graag en vrijwillig – om bekommeren. Het moederschap is in de natuur niet als werk of straf bedacht, maar als beloning.

Als je je baby meer ziet als een zware klus dan als iets prettigs, dan doe je te veel. Dan wordt het hoog tijd voor **EasyBaby** – voor de kunst van het minder doen en meer genieten. Want of je een goede moeder bent, hangt niet af van de mate waarin je jezelf wegcijfert, maar van de mate waarin je ontspannen bent.

Baby's zorgen iedere keer weer voor stressvolle situaties. Heel vermoeiend dus. Het verzorgen van een ziek kind kan hels zijn en een kind een goed slaapritme bijbrengen vraag veel energie en geduld.

Maar dat zijn periodes die voorbijgaan, vergelijkbaar met eenmalige zware projecten op je werk. Maar als je je voortdurend gespannen voelt, als elke dag met de baby een zware opdracht is, dan gaat er iets mis. Ook al hoor je iedere keer weer zeggen: 'Zo gaat dat nu eenmaal met kleine kinderen.' Want zo gaat dat nu eenmaal niet.

Uitputting is niet normaal voor een moeder, zelfs niet in het eerste jaar. Uitputting is een signaal. En moeders die voortdurend uitgeput zijn, brengen niet alleen zichzelf schade toe, maar ook hun baby.

In het belang van de baby moet je dan aan de noodrem trekken. Over het algemeen betekent dit dat je het dagelijks leven beter moet structureren en meer tijd zonder de baby moet plannen. Zoals je wel vermoedt, is dat niet zo simpel als het klinkt. Want dat betekent dat je een aantal overtuigingen overboord moet gooien. Je moet echt aanvaarden dat ten eerste het welzijn van de baby niet alleen van zijn moeder afhankelijk is en dat ten tweede minder investeren echt loont.

Vertrouw op jezelf: je bent een goede moeder. Vanuit jezelf – zonder dat je daarvoor extra inspanningen moet leveren. Dat heeft de natuur zo voorzien.

EasyBaby-regel nr. 7: Als je er zelf van overtuigd bent dat moeder zijn synoniem is met hard werken, zal het moederschap ook moeilijk zijn.

EasyBaby-regel nr. 8: Niet elke vrouw is in de wieg gelegd voor kinderverzorging. Aanvaard het als je sterke punten ergens anders liggen en probeer niet om desondanks een fulltime moeder te zijn.

EasyBaby-regel nr. 9: Het 'succes' van een kind is niet de beloning voor het harde werk van de moeder.

EasyBaby-regel nr. 10: Langdurige uitputting is niet normaal voor een moeder, maar is een signaal. In het belang van je kind moet je aan de noodrem trekken.

Nu of nooit:
De mythe van de eerste drie jaar

Je hoeft niet uitzonderlijk veel belangstelling voor kinderen te hebben, en je hoeft al helemaal geen ouder te zijn, om te beseffen wat de belangrijkste jaren in de ontwikkeling van een mens zijn: dat zijn de eerste drie jaar. Dit inzicht behoort tot de algemene kennis.

De mythe: 'Wat Hansje niet leert, zal Hans niet weten'

Wie wat meer belangstelling voor het onderwerp heeft, wil ook de redenen ervan leren kennen. Op eenvoudige wijze kunnen we het als volgt samenvatten: in de hersenen van een pasgeboren baby is er in aanleg heel veel aanwezig. Maar deze aanleg moet vanaf de geboorte stap voor stap verder ontwikkeld worden. Om dat te kunnen realiseren, ontstaan er in de hersenen zogenaamde synapsen, ruimtes in de verbindingen tussen zenuwcellen. Die synapsen zorgen ervoor dat mogelijkheden ook feiten worden. Synapsen worden pas gevormd als de hersenen daarvoor de juiste prikkels krijgen. Die prikkels komen uit de omgeving. Horen, voelen, zien, ruiken en proeven zorgen ervoor dat deze synapsen zich ontwikkelen. Elke baby heeft dus 'voeding' voor zijn zintuigen nodig: geluiden die hij kan horen, aanrakingen die hij kan voelen, kleuren die hij kan zien, geuren die hij kan ruiken...
Het bekendste voorbeeld voor het belang van de synapsen is de ontwikkeling van het gezichtsvermogen. Elke gezonde baby heeft bij zijn geboorte alle benodigde aanleg om te zien. Als hij vanaf zijn geboorte geblinddoekt wordt, wordt deze aanleg niet geactiveerd en ontwikkeld. Het gedeelte van de hersenen dat voor het gezichtsvermogen verantwoordelijk is, maakt dus niet de overeenkomstige synapsen aan die nodig zijn om te zien en schakelt na een bepaalde periode helemaal uit. De baby is en blijft voor altijd blind – hoewel hij alle aangeboren aanleg heeft om te zien.

Het motto van de hersenen is: use it or lose it. Gebruik het of raak het kwijt.

Tijdens de eerste drie levensjaren bouwen de hersenen in een razendsnel tempo een ongelooflijk aantal synapsen op. Na drie jaar stopt de aanmaak van synapsen plotseling. In de puberteit worden er dan weer heel veel synapsen afgebroken. Daardoor komt het dat elk klein kind veel meer synapsen heeft dan – bijvoorbeeld – zijn kinderarts.

Een explosieve groei tijdens de eerste drie jaar, dan stilstand en later een achteruitgang – zo ontwikkelen de menselijke hersenen zich. Maar, en dat is heel belangrijk, die razendsnelle ontwikkeling in de eerste drie jaar vindt alleen maar plaats als de hersenen voldoende gestimuleerd worden. Geen stimulatie, geen synapsen. Use it or lose it. Wie zijn ogen niet gebruikt, verliest zijn gezichtsvermogen. Als je dus fantastische hersenen wilt hebben, moet je daar de eerste drie jaar aan werken. Daarna moet je leven met wat je hebt. En je kind natuurlijk ook. Iedere dag waarop hij geen synapsen vormt, is eigenlijk een verloren dag. Als je hem nu niet voldoende stimuleert, kun je dat niet meer inhalen na zijn derde verjaardag.

Roept dat stress op? Voel je je onder druk gezet? Ben je bang voor het moment waarop je kind je verwijten gaat maken onder het motto: 'Mama, ik zou nu Nobelprijswinnaar kunnen zijn als jij in de kritieke fase mijn synapsen goed gestimuleerd had!'

Dan vergaat het jou zoals de meeste ouders. De mythe van de eerste drie jaar zorgt voor een bijna ondraaglijke druk op de schouders. En hij houdt bovendien een hele tak van de wetenschap aan het werk: stimulatiecursussen zijn volgeboekt, boeken over pedagogie voor baby's en verantwoord speelgoed gaan als zoete broodjes over de toonbank. Wie wil er niet onbeperkt tijd, geld en energie investeren in de ontwikkeling van de hersenen van zijn kind.

En als je ziet hoe andere ouders hun nakomelingen met babyzwemmen, muziek voor peuters en educatief verantwoord speelgoed stimuleren, steekt de angst de kop op. Hoe kan mijn kind dat allemaal bijbenen? Mag je het in die belangrijke eerste drie jaar ook maar een ogenblik uit het oog verliezen? Is dat niet onverantwoord?

Christine wil de eerste drie jaar voltijds moeder zijn:

'Aangezien ik weet dat de eerste drie jaar het verdere leven van mijn kind bepalen, zou ik wel gek moeten zijn om die periode niet honderd procent beschikbaar te zijn voor mijn kind. Ik kan mijn kind toch niet gewoon afgeven en er het beste van hopen? Ik zou het mezelf niet vergeven als er later iets misloopt, als Johan bijvoorbeeld niet mee kan op school of psychologische problemen krijgt. Ik wil dat zijn start in het leven zo goed mogelijk is. En alles wat ik daarvoor kan doen, doe ik ook. Ik ben met hem naar babyzwemmen gegaan. Nu gaan we naar muziekles en een ochtend per week gaan we naar een speelgroep in het bos. Ik zoek veel informatie in boeken en op internet over het juiste speelgoed voor elke ontwikkelingsfase.

Natuurlijk vind ik het niet altijd even leuk en ik mis mijn werk vaak. Op slechte dagen benijd ik de moeders die minder doen met hun kinderen. Maar ik geloof dat ze op lange termijn spijt krijgen dat ze hun kinderen in die kritieke fase niet meer gestimuleerd hebben. Ik zie die belangrijke drie jaar als een investering die zich later terugbetaalt.'

En als Johan later toch problemen krijgt? Dan kan Christine zich in ieder geval geen verwijten maken. Ze heeft uiteindelijk gedaan wat ze kon. En misschien zou Johan zonder haar inspanningen nog veel grotere problemen hebben. De mythe van de eerste drie jaar is niet zo gemakkelijk te doorbreken.

De waarheid: een handleiding voor superbaby's bestaat niet

Het neurologisch onderzoek waar de mythe van de eerste drie jaar op berust, is meer dan 30 jaar oud en het wordt vaak verkort, vereenvoudigd of ronduit verkeerd weergegeven. Nagenoeg alle inzichten berusten op dierproeven. En het is vrij onwaarschijnlijk dat menselijke hersenen precies hetzelfde werken als die van ratten of poezen.

Wetenschapsjournalist John T. Bruer toont in zijn boek *The myth of the first three years* aan hoe weinig we eigenlijk weten over de ontwikkeling van de menselijke hersenen. Per slot van rekening kan men met kinderen niet experimenteren door wekenlang niet met ze te praten of ze nooit aan te raken. Ook synapsen kunnen we alleen maar tellen bij een autopsie op een lijk.

Desondanks probeert men telkens weer om de resultaten van hersenonderzoek te koppelen aan concrete opvoedingsadviezen. Bijvoorbeeld het advies om kinderen met zo veel mogelijk prikkels te bombarderen om de vorming van synapsen te stimuleren.

De combinatie van neurologie en pedagogiek heeft de mensen dusdanig gefascineerd, dat de wetenschappelijke ernst vaak ver te zoeken was. Bruer verklaart dat heel duidelijk met de theorie van de synapsen, die op een studie met ratten gebaseerd is. Daarbij werden de ratten in drie groepen ingedeeld. De eerste groep werd volledig geïsoleerd in aparte kooien grootgebracht. De tweede groep leefde ook in kooien, maar samen met soortgenoten. En de derde groep leefde in luxueuze omstandigheden: veel ruimte, veel speelgoed, veel soortgenoten, veel afwisseling. Bij onderzoek van de verschillende ratten stelde men vast dat de ratten die in luxe leefden veel meer synapsen gevormd hadden dan hun collega's in de twee andere onderzoeksgroepen. De ratten die alleen zaten, hadden de slechtste hersenen.

Op basis van deze studie – een studie op ratten! – werd de theorie ontwikkeld: hoe meer stimulatie, hoe meer synapsen. Maar kun je echt zo gemakkelijk die conclusie trekken? Bruer vindt van niet. Volgens hem toont de studie alleen maar aan dat het voor ratten niet goed is als je ze in kleine kooitjes opsluit. De ontwikkeling van hun hersenen wordt afgeremd als ze geen enkele stimulans hebben die in hun natuurlijke omgeving wel voorkomt. Hoe meer de laboratoriumsituatie de normale levensomgeving van ratten benaderde, hoe beter – of liever gezegd – hoe normaler hun hersenen zich ontwikkelden.

Het onderzoek heeft namelijk geenszins aangetoond dat men met de juiste stimulatie rattenhersenen kan vormen die boven de doorsnee uitsteken. Maar toch is op basis van deze studie de boodschap verspreid: stimuleer je baby goed, dan krijgt hij prachtige hersenen. Fout! Als je al de link wilt leggen tussen ratten en mensen, kun je hoogstens zeggen:

stop je baby niet in een kooi, want daar lijden zijn hersenen onder. En dat wisten we eigenlijk al wel...

De weinige onderzochte gevallen van kinderen met een gestoorde ontwikkeling van de hersenen zijn dan ook zonder uitzondering gevallen van zwaar mishandelde en verwaarloosde kinderen. In de hersenen van kinderen die in de beruchte Roemeense weeshuizen in rampzalige omstandigheden opgegroeid zijn, zijn er inderdaad zwarte gaten gevonden. Maar wat bewijst dat? Net zoiets als het rattenexperiment: als je kinderen de dingen onthoudt die in hun normale omgeving voorkomen – liefdevolle aanrakingen, voldoende eten, frisse lucht – lopen hun hersenen schade op die niet meer te herstellen is.

Het is niet alleen riskant om uit deze extreme gevallen opvoedingsadviezen voor normale, liefhebbende ouders te vormen, het is ook niet ernstig. Maar toch wordt het iedere keer weer gedaan. En dat heeft tot gevolg dat vele ouders elke dag weer leven met de angst dat ze fouten maken die niet meer te herstellen zijn. Dit schuldgevoel helpt niemand vooruit en is gewoon niet nodig.

In navolging van John Bruer zeggen de neurologen ons nu – dus 30 jaar na het rattenexperiment – het volgende over de ontwikkeling van de menselijke hersenen:

1 Voor synapsen geldt niet automatisch: meer is beter. Integendeel. Zo hebben bijvoorbeeld mensen met het fragiel-X-syndroom, een psychologische aandoening, een meer dan gemiddeld aantal synapsen. Tegenwoordig weten we dat we niet moeten streven naar zo veel mogelijk synapsen. De afbraak van de synapsen in de puberteit is blijkbaar belangrijk voor de hersenverbindingen en dus voor de ontwikkeling van de hersenen. Kinderen worden in de puberteit wellicht moeilijker, maar ze worden zeker niet dommer. Pas na de periode waarin het aantal synapsen afneemt, zijn zij in staat bepaalde complexe verbanden te begrijpen.

2 Onder normale omstandigheden (geen eenzaamheid voor ratten, geen mishandeling voor kinderen) wordt de opbouw van synapsen gestuurd door een genetisch programma. Stimulatie versnelt noch

vermeerdert de vorming van synapsen. Je baby vindt het zeker leuk als je voor hem zingt of hem voorleest, maar volgens de meest recente onderzoeken heeft dat geen invloed op de vorming van synapsen.

3 Het klopt dat de hersenen zich tijdens de eerste drie jaar razendsnel ontwikkelen. Maar het klopt niet dat de hersenen daarna niet meer gevormd kunnen worden. De zogenaamde hersenflexibiliteit blijft tot op hoge leeftijd behouden. Iedere keer als we iets nieuws leren, veranderen ook onze hersenen.

4 Neurologen maken tegenwoordig een onderscheid tussen capaciteiten die men zijn leven lang kan ontwikkelen en capaciteiten die in een bepaalde levensfase een bepaalde stimulans vragen – dus capaciteiten die alleen in een zogenaamde kritieke fase ontwikkeld kunnen worden. Daaronder vallen alle capaciteiten die typisch zijn voor de mens. Mensen kunnen van nature praten, maar niet iedereen kan piano spelen. Er is dus bijvoorbeeld een kritieke fase om te leren praten of zien, maar niet om te leren autorijden of lezen. Belangrijk: niet alle kritieke fasen vallen in de eerste drie jaar. De kritieke fase om te leren praten loopt vermoedelijk tot de eerste schooljaren.

5 De juiste stimulans in een kritieke fase is die welke een mens in zijn natuurlijke omgeving vanzelf krijgt. Normaal gezien hoort een baby in de fase waarin hij leert praten andere mensen praten. Normaal krijgt een baby heel wat visuele indrukken in de periode die belangrijk is voor de ontwikkeling van zijn gezichtsvermogen. Het is niet nodig – en ook geen voordeel – om bepaalde dingen te horen of te zien. Maar het is wel belangrijk dat de baby iets hoort of ziet.

6 Neurologen weten tegenwoordig dat zware verwaarlozing schadelijk is voor de hersenen. Maar ze weten niet wat we kunnen doen om hersenen te ontwikkelen die boven de middelmaat uitsteken. Er bestaat dus nog geen neurologische handleiding voor superbaby's.

Het staat buiten kijf dat de eerste drie jaar in het leven van een kind uiterst belangrijk zijn. Er zijn namelijk heel veel dingen die mensen alleen in deze periode kunnen leren. Maar alles wat een kind nodig heeft om die dingen te leren, alles wat het nodig heeft om voldoende juiste synapsen te vormen, is normaal gezien voorhanden. Niet meer, maar ook niet minder.

Dat is de reden waarom de **EasyBaby**-methode ervan uitgaat dat een gezond kind geen speciale stimulans nodig heeft. In de wereld waarin kinderen tegenwoordig geboren worden, zijn er meer dan genoeg stimuli om een optimale ontwikkeling van de hersenen te garanderen. Als je zin hebt om voor je baby te zingen, dan moet je dat doen. Niet omdat je baby daar slimmer van wordt, maar omdat het een prachtige ervaring is – voor jou en voor je kind. En als je geen zin hebt om te zingen, dan doe je het gewoon niet. De hersenen van je kind zullen zich toch wel volgens plan ontwikkelen. Ook zonder dat jij daar wat voor doet.

Het is niet belangrijk of we onze kinderen de goede boeken voorlezen of niet. Het is wel belangrijk dat het kind iets hoort. Het maakt niet uit of het mooie natuur, schitterende kunstwerken of felgekleurd speelgoed te zien krijgt. Het is wel belangrijk dat het kind iets kan zien. Bruer zegt: 'Als er in een kritieke fase iets verkeerd loopt, ligt de oorzaak daarvan meestal niet bij de omgeving, maar bij het kind. De meeste ontwikkelingsproblemen doen zich voor omdat er iets mis is met de sensorische receptoren van het kind.'

Het beste en belangrijkste wat je in deze periode voor je kind kunt doen, is er dus voor zorgen dat je kind de praktische mogelijkheid heeft om normale ervaringen op te doen. Laat bijvoorbeeld regelmatig zijn oren testen, vooral als hij oorontstekingen gehad heeft. En ga al op jonge leeftijd regelmatig naar de oogarts.

Voor de rest moet je er gewoon voor zorgen dat je kind openstaat voor het leven. Want het gewone normale leven bevat alle elementen die je kind nodig heeft om uitstekende hersenen te krijgen. Het gewone leven is geen kooi zonder geluiden, kleuren, reuk en gezelschap. Maar het is ook geen kunstmatig ingericht reservaat waarin alleen pedagogisch verantwoorde dingen gebeuren. Het normale leven is het leven waarin je kind geboren werd. Jouw leven.

EasyBaby-regel nr. 11: Hersenonderzoekers weten nu dat de hersenen lijden onder zware verwaarlozing. Maar niemand kan zeggen wat je kunt doen voor je kind om het turbohersenen te laten krijgen.

EasyBaby-regel nr. 12: De ontwikkeling van de hersenen wordt blijkbaar genetisch gestuurd. Alle externe prikkels die daarvoor nodig zijn, zijn in een normale omgeving aanwezig. Je kunt je kind niet blijvend slimmer maken door het voor te lezen of te zingen. Maar doe het gewoon als je het leuk vindt.

EasyBaby-regel nr. 13: Er treden ontwikkelingsproblemen op als je kind de prikkels uit de omgeving niet kan opnemen, bijvoorbeeld doordat hij slecht hoort of ziet. Laat dus vanaf het begin regelmatig zijn gehoor en zijn ogen testen.

Het moederdilemma:
Als alles goed gaat, ligt het aan de genen – in alle andere gevallen aan jou

Patricia is kwaad:

'Wat je ook doet, als moeder verdien je nooit eens een bloemetje. Ik ben nog geen enkele keer geprezen. Omdat Karel zijn pap altijd zo netjes opeet, of omdat hij zo braaf gaat slapen. Integendeel, alles wat ik te horen krijg is: jij hebt geluk dat je zo'n gemakkolijk kind hebt.'

Wees trots op jezelf!

Wen er maar meteen aan, want Patricia heeft helemaal gelijk. Moeders worden – zeker de eerste jaren – niet geprezen. Als de kinderen zich gedragen zoals jij het wilt, heb je gewoon geluk gehad. Je hebt nu eenmaal een gemakkelijk kind en er is geen sprake van dat het iets met jouw werk als moeder te maken zou hebben. Nee, nee, dat moeten de genen zijn. 'Dat heeft hij van Matthias', zegt de oma dan maar al te graag. 'Hij was ook zo'n verschrikkelijk lief kind.'

Patricia:

'Al mijn vriendinnen hebben heel veel stress met hun kinderen, die nooit willen gaan slapen of 's nachts wakker worden. Al voordat ik kinderen had, heb ik mij voorgenomen dat het bij mij anders zou zijn. Toen Karel geboren werd, hebben Fred en ik vanaf de eerste dag geprobeerd om hem goede slaapgewoonten aan te leren. En dat heeft gewerkt. Al vanaf drie maanden sliep Karel zonder problemen door. Ik vond dat een knap stukje werk, maar het was de moeite waard. Maar daar gaat het niet om. Het gaat erom dat ik zeker weet dat hij zo goed slaapt, omdat wij hem dat geleerd hebben. Maar ik ben de enige die dat gelooft.

Er heeft nog niemand gezegd: Hé, dat heb je knap gedaan. Maar bijna iedereen – en vooral andere moeders – kijkt mij neerbuigend aan en vindt dat ik zoveel geluk eigenlijk niet verdiend heb.'

En geloof nu maar niet dat het omgekeerde verhaal ook aanvaard wordt, namelijk dat het de genen zijn als er op een bepaald moment iets niet zo op rolletjes loopt met je baby.

Simone vertelt:

'Lynn was de eerste twee jaar vrij veel ziek. Meestal problemen met de luchtwegen. Verkoudheden, hoesten, bronchitis, er was altijd iets. Die ziekten waren op zich al erg en stressvol genoeg, maar het moeilijkste om mee om te gaan waren de verwijten die we van alle kanten kregen.

De verloskundige dacht dat ik beter nog langer borstvoeding had kunnen geven. Een paar vriendinnen waren er vast van overtuigd dat we Lynn nooit hadden mogen laten inenten. Mijn moeder vond dat we de kleine niet warm genoeg aankleedden. Toms moeder vond daarentegen dat wij haar veel te warm aankleedden en dat ze gehard moest worden. Dan waren er nog mensen die zeiden dat het aan de bouwmaterialen van ons huis lag, dus in het belang van Lynn moesten we eigenlijk verhuizen. Enzovoort, enzovoort. Ik heb geloof ik wel 1000 theorieën over Lynns ziekten gehoord en het kwam er altijd op neer dat wij iets verkeerd hadden gedaan .'

Laat je niet gek maken! Je kunt het systeem gewoonweg niet veranderen, hoe je je er ook aan ergert. Als het goed gaat, zal het altijd aan de genen liggen, en als er iets misgaat, is het domweg je eigen schuld. Zo gaat dat nu eenmaal.

Je moet alleen voor jezelf duidelijk weten dat het eigenlijk niet zo in elkaar zit. Als jij je kind goede gewoonten hebt aangeleerd, dan mag je daar ook best trots op zijn! En laat die trots je door niemand afnemen. Je kunt niemand dwingen je prestaties te erkennen, maar niemand ook kan jou dwingen je prestaties te verloochenen.

Je hebt niet alles in de hand

En als er iets misloopt, is het verstandig om te kijken of je daar iets aan kunt veranderen. Want vaak maak je echt fouten. En natuurlijk zijn er adviezen die je werkelijk verder helpen. Maar daarvoor moet je uit heel die stroom ongevraagde adviezen die halen die wel kunnen werken. Hoe doe je dat?

EasyBaby heeft daarvoor een eenvoudige vuistregel: luister alleen naar mensen die bewezen hebben dat ze weten waarover ze praten. Luister dus alleen naar mensen van wie je vindt dat de kinderen het goed doen. Want wat voor goede raad kun je verwachten van mensen met kinderen die zelf vol problemen zitten? Deze mensen kunnen met recht en reden zeggen dat ze veel ervaring hebben met problemen. Maar ze hebben blijkbaar weinig ervaring met de oplossingen.

Besteed echter niet te veel tijd aan twijfel en aan het screenen van adviezen. Maak jezelf liever duidelijk dat je wel iets maar zeker niet alles in de hand hebt.

Kinderen worden nu eenmaal ziek, of je ze nu biologisch dynamisch of gewoon eten geeft. Ze hebben allemaal weleens een slecht humeur, of ze nu thuis blijven of naar een crèche gaan.

Complicaties horen nu eenmaal bij het leven. Het slechtste wat je in zo'n situatie kunt doen, is je hoofd verliezen en blindelings alle adviezen volgen die op je af komen.

Het beste wat je kunt doen, is rustig blijven en ervoor zorgen dat het niet alleen met je kind, maar ook met jezelf goed gaat. Vertrouw erop dat je kind sterk genoeg is om de uitdaging waar het voor staat aan te kunnen. En onthoud dat alles voorbijgaat – de goede dingen, maar gelukkig ook de moeilijke periodes.

EasyBaby-regel nr. 14: Je kunt je kind goede gewoonten bijbrengen – en daar mag je trots op zijn.

EasyBaby-regel nr. 15: Je kunt je kind niet voor alles behoeden – maar daarom hoef je nog niet aan jezelf te twijfelen.

EasyBaby-regel nr. 16: Neem alleen adviezen aan van mensen die kinderen hebben met wie het heel goed gaat.

Het moederinstinct:
Waarom dat vaak niet helpt

Een kleine test. Antwoord gewoon zonder na te denken:
Je zit met je baby in het vliegtuig. Op het moment dat je merkt dat je moeite hebt met ademen, vallen ook de zuurstofmaskers naar beneden.

A Je grijpt in paniek een masker en duwt dat op het gezicht van je naar adem snakkende baby.
B Je grijpt in paniek een masker, negeert je baby en zet het masker op je eigen gezicht. Je ademt eens diep in en dan grijp je een tweede masker en geef je je baby zuurstof.

We weten allemaal dat **B** het goede antwoord is. Dat hebben stewardessen, veiligheidsfilmpjes en brochures ons op elke vlucht ingeprent. Maar toch zegt ons moederinstinct **A**. En het gedeelte van onze hersenen dat aangestuurd wordt door ons instinct heeft ook een heel goede reden voor dat antwoord: een volwassene is vermoedelijk beter en langer bestand tegen zuurstoftekort dan een baby. Je instinct volgen zou in dit geval levensgevaarlijk zijn. Wie dat doet, zet niet alleen zijn eigen leven, maar ook dat van zijn baby op het spel. Dat zal elke stewardess je bevestigen. Want als jij bewusteloos raakt, kan niemand er meer voor zorgen dat je baby zijn masker op houdt.
Het vliegtuigscenario toont heel scherp aan dat instinct niet altijd de beste raadgever is als het om kinderen gaat. Kinderen stellen ons voor heel wat situaties waarbij een helder hoofd belangrijker is dan instinct. Aangezien je kind zijn verstand nog moet ontwikkelen, moet jij als moeder je verstand gebruiken. Daarom is **EasyBaby** een programma dat je er iedere keer weer toe aanzet niet op je instinct af te gaan. **EasyBaby** verlangt van je dat je niet meteen aan de eerste impuls toegeeft. **EasyBaby** is niet gebaseerd op je buikgevoel als moeder, maar vraagt iedere keer weer dat je ook en vooral in zeer emotionele situaties je verstand gebruikt.

Gevaarlijke romantiek

De overschakeling is in het begin vaak heel moeilijk. Want dat verstoort de romantische voorstelling die je hebt van de relatie tussen moeder en kind. Wat is er uiteindelijk natuurlijker dan de moeder-kindrelatie? Dat is het laatste deeltje van het leven waar nu eens niet het hoofd regeert, maar het hart, het moederhart. Daar kan toch niets mis mee zijn?

Een kind krijgen en een kind hebben is voor de meeste vrouwen het mooiste wat er in hun leven gebeurt. Maar één ding is het zeker niet, het is niet romantisch. Als je blijft volhouden dat het romantisch moet zijn, maak je jezelf en je kind ongelukkig. Als je blijft volhouden dat je altijd je instinct wilt volgen, zou je de ontwikkeling van je kind weleens kunnen verstoren.

Ons instinct wil dat ons kind elke seconde van zijn leven grenzeloos gelukkig is, dat het nooit huilt of kwaad is – en zeker niet op ons. We zouden hem het liefst alle pijn besparen.

En daardoor is de verleiding groot om onze baby vaker eten te geven dan nodig is. Hem niet in zijn bedje te laten huilen als hij niet meteen kan slapen. Hem niet alleen te laten als hij niet van ons weg wil. Of de wensen van onze grotere kinderen te vervullen, ook al kunnen we ons dat eigenlijk niet veroorloven.

Het verlangen om ons kind elke dag gelukkig te zien, is helemaal niet zo onbaatzuchtig. Het is een medaille met twee kanten. De andere kant is de egoïstische behoefte om ons elke seconde geliefd te voelen door ons kind.

De buik heeft het hoofd nodig

Of het nu egoïstisch of onbaatzuchtig is, het moederinstinct is één van de sterkste neigingen waar je mee te maken kunt krijgen. Hoe meer je eraan toegeeft, hoe sterker het wordt. Net als een verslaving.

Want de basis van veel verslavingen is positief. Het glas rode wijn 's avonds is zalig. De verslaving begint pas als je de controle kwijtraakt en je geen nee meer kunt zeggen tegen alcohol. Zo gaat het ook met het moederinstinct. Het is fantastisch om een huilende baby te troosten. Maar als het zo ver komt dat je koste wat kost wilt vermijden dat de baby huilt, is de grens overschreden.

Die grens kun je niet met je hart zien. Daar heb je je hoofd voor nodig. De moeder-kindrelatie is geen gebied zonder verstand. Integendeel. Bijna alles wat je in je leven geleerd hebt, alle technieken die je kent om moeilijke situaties aan te pakken, heb je in de omgang met je kind nodig.

Als je door je beroep gewend bent om moeilijke klanten te behandelen, dan kun je die kennis gebruiken. Je kind zal je allermoeilijkste (en liefste) klant zijn. Als je geleerd hebt om moeilijke projecten op je werk tot een goed einde te brengen, heb je geluk. Je organisatietalent zal je ervoor behoeden in de kinderchaos te verdrinken. En als je ervaring hebt in een managementfunctie, schitterend! De meeste motiveringstechnieken voor medewerkers werken ook bij kinderen heel goed.

Als je de problemen van je eigen kindertijd te boven gekomen bent en je met je eigen ouders in het reine bent, vergeet dan niet hoe dat gegaan is. Deze ervaring kun je gebruiken om een goed contact met je kind te houden.

Je kind is een hartszaak. Maar dat betekent niet dat je je verstand moet uitschakelen. Dat doe je toch bij andere hartszaken ook niet. Inderdaad, als je aan iemand sterk gehecht bent, volg je niet blindelings je hartstocht. Dat zou namelijk de kortste weg zijn naar een scheiding.

Elke succesvolle mens – sporter, kunstenaar, zakenman of politicus – zal bevestigen dat passie en een goed buikgevoel zeker belangrijk zijn, maar dat verstand en discipline van de hartszaken een succesverhaal maken.

En met minder zijn we ook voor onze kinderen niet tevreden.

EasyBaby-regel nr. 17: Hoe luider het hart spreekt, hoe belangrijker het is om je hoofd te gebruiken.

Een vader is een vader...
en geen assistent van de moeder

De volgende vacature staat open:

Een baan van ongeveer 40 uur werk buitenshuis. Eventueel ook meer. Daar komen nog heel wat uren bij als ondersteuning, thuis en onbetaald. Buitenshuis sta je op je werk onder de normale druk, maar als je het goed doet, krijg je erkenning, promotie, meer verantwoordelijkheid en meer geld.

In de bijkomende ondersteuning zit echter geen enkele stijgende lijn, hoe goed je het ook doet. Promotie is helemaal uitgesloten. Je weet zeker dat je nooit de baas zult worden, maar altijd de assistent zult blijven. Maar hoogstwaarschijnlijk zul je helemaal niet succesvol zijn. De opdracht is namelijk van dien aard, dat het al op voorhand vaststaat dat je fouten gaat maken en nooit complimentjes kunt krijgen. Je enige voordeel in dit dilemma: het aantal werkuren is hier niet precies vastgelegd en je kunt er vrij gemakkelijk onderuit.

De baan klinkt zwaarder dan hij is. Eigenlijk kun je hem zonder risico aannemen. In de proefperiode draai je een aanvaardbaar aantal uur in de ondersteuning en probeer je wat enthousiasme te tonen. En dan trek je je beetje bij beetje terug uit het geheel. Er zullen je nog wel een aantal eenvoudige smoezen te binnen schieten voordat je je als nietsnut moet laten behandelen.

Een baan waarin je in plaats van erkenning alleen maar kritiek oogst, zou geen enkel normaal denkend mens vrijwillig voor langere tijd aannemen.

Zo zit het in elkaar. De doorsnee man brengt na de geboorte van zijn kinderen niet minder, maar juist meer tijd door op kantoor. Zijn aandeel in het huishouden (met inbegrip van de verzorging van de kinderen) neemt in dezelfde mate af. Tenslotte kan die arme man onmogelijk tegelijkertijd op kantoor of de fabriek zijn en aan de strijkplank of de luiertafel staan.

De hulparbeider

Veel vaders weten welke maat kleding hun baby heeft en zijn er ook al eens mee naar het consultatiebureau geweest. En als je jonge gezinnen op zondag ziet wandelen, is het vaak de vader die de kinderwagen duwt. Dit verbergt vaak het feit dat het doorgaans net als vroeger de moeders zijn voor wie er het meeste verandert met de komst van een kind. Uitzonderingen daargelaten hebben de meeste moeders na de geboorte van hun eerste kind een heel ander leven dan daarvoor. Hun dagelijks leven ziet er helemaal anders uit.

Voor de vaders ligt dat anders. Tot nu toe werd aan geen enkele vader bij een sollicitatiegesprek gevraagd hoe hij denkt werk en kind te combineren. Die vraag is ook overbodig, want meestal merk je aan een man op het werk niet of hij vader is of niet. Ook met een groot gezin is de man meestal stipt op tijd op kantoor en hoeft hij niet thuis te blijven als de kinderen ziek zijn.

Maar niet alleen het dagelijks leven van vrouwen en mannen verandert helemaal, ook de vooruitzichten in het leven. Als de ouders gaan scheiden, houden de meeste vaders tegenwoordig wel contact met hun kinderen, maar over het algemeen zijn ze het ermee eens dat de kinderen bij de moeder opgroeien. Voor de meeste moeders zou het onvoorstelbaar zijn om na de scheiding genoegen te nemen met een gewoon bezoekrecht.

Voor bijna alle vrouwen is het tijdens de zwangerschap al duidelijk: wat er ook gebeurt – carrière, scheiding, ziekte of verhuizing – het kind hoort bij mij, mijn leven lang. Dat bewustzijn leidt tot een verantwoordelijkheidsgevoel dat aanzienlijk verschilt van dat van de vader.

En op basis van dit andere verantwoordelijkheidsgevoel maken veel moeders de fout de vaders te degraderen tot gewone hulpjes. Daarin ligt de verklaring waarom veel nieuwbakken vaders al zo snel onder hun plicht proberen uit te komen. De moeders die daarbij horen, laten de vader niet zelfstandig zijn eigen rol opnemen. Papa moet en zal luiers verschonen of het kind alleen naar bed brengen. Maar hij doet dat als assistent of geschoold arbeider van de gekwalificeerde moeder. Dat geeft op termijn niet veel voldoening.

Wie alleen op proef en onder toezicht iets mag doen, zal nooit echt vlot met de baby leren omgaan. Dus waarom zou je blijven proberen als het moeilijk wordt? Er is toch altijd iemand in de buurt die het beter kan: de mama.

Een scène tijdens een familiefeest:

Aangezien het haar familie was die een feest gaf, had Petra besloten dat Mario die dag voor de kleine Max moest zorgen. Zo kon zij eindelijk weer eens zonder baby van een feest genieten. Mario is het ermee eens. Hij kan er ook niets tegen inbrengen, want Petra zorgt altijd voor de kleine. En het is toch echt niet te veel gevraagd dat hij als vader ook eens… Ja, daarover zijn ze het eens.

Het lijkt wel alsof Mario toegezegd heeft voor één dag de leiding over een bedrijf of de regering van een land over te nemen. Hij is van goede wil, maar weet niet goed hoe het moet. En bovendien is de eigenlijke baas niet in rook opgegaan, maar ze controleert streng of alles in orde is.

Max wordt wakker. Mario maakt zijn flesje klaar. Max drinkt drie slokken en gooit de fles woedend weg. Melk te warm? Melk te koud? Gewoon een slecht humeur? Wie weet het? Petra is allang wakker van het gehuil, kan toch niet meer slapen en stelt voor dat Max zijn flesje bij haar drinkt. Nu smaakt de melk.

Mario en Max gaan de slaapkamer uit en Petra slaapt nog een uurtje door. Zalig, eindelijk eens uitslapen! Dan rustig douchen, haar haar eens een crèmebad geven en een masker op haar gezicht. Petra komt helemaal ontspannen aan het ontbijt. Max zit bij oma op schoot, zijn mond vol met chocopasta. Het kind is aangekleed alsof zijn ouders kleurenblind zijn. Bovendien heeft hij sandalen aan! Zonder sokken! En de thermometer geeft maar 20°C aan!

Tijd voor een korte bijscholing van de papa. Natuurlijk discreet, niet voor het oog van de hele familie. Mario gaat Max omkleden. Het kind heeft frisse lucht nodig, heeft Petra nog gezegd. Ga toch met hem wandelen. Voordat ze samen vertrekken, vraagt Petra nog: heb je zijn muts? Een zonnehoedje voor het geval dat? Regenjas? Een fopspeen voor als hij moe wordt? Een paar koekjes voor als Max honger krijgt? Nou, veel plezier dan allebei.

Om 12 uur doet Max zijn middagslaapje. Dat gaat al maanden zo. En dat zou Mario toch echt moeten weten. Maar pas om half één komen ze samen glunderend de tuin in. Daar moet Petra Mario toch even aan herinneren.

En zo gaat het de hele dag door. Mario, doe dit, denk daaraan, pas op dat Max niet… Zodra Mario zich een beetje zekerder voelt en de indruk heeft dat hij de zaken wat beter in de hand heeft, gaat er gegarandeerd iets mis: Max doet zich pijn of huilt gewoon, hij eet het verkeerde en drinkt te weinig. Alsof de duivel ermee speelt.

Aan het einde van de dag is iedereen doodop en nerveus. Petra kan niet begrijpen waarom Mario zo dom doet; wil hij haar soms gewoon uitdagen of zo? Petra's ouders maken zich zorgen om de echtgenoot van hun dochter. Max heeft buikpijn omdat hij te veel gesnoept heeft. En Mario telt de uren af totdat hij weer aan het werk kan.

Mario denkt: misschien hebben mannen gewoon niet de juiste genen om kleine kinderen op de goede manier bezig te houden. Zijn vrienden vinden ook dat je met kleine kinderen de eerste jaren niet veel kunt doen.

Natuurlijk is het niet de schuld van de genen. Het heeft gewoon te maken met een verschil in ervaring. En die ervaring zit nu eenmaal vooral bij de moeders. Gewoon omdat ze vanaf het begin meer tijd met de baby doorbrengen, maar ook omdat zij bepalen wat goed en slecht is. Iedereen die zijn weg moet vinden in een vreemd systeem, heeft het in het begin moeilijk. Dat heeft niets met het geslacht te maken.

Dit verklaart trouwens ook waarom veel moeders die met een keizersnee bevallen tijdens de eerste week het gevoel hebben dat ze geen goede moeder zijn. Omdat ze hun baby in het begin niet helemaal zelf kunnen verzorgen, missen ze de voorsprong in ervaring.

Bij Barbara was papa in het begin de babyexpert:

'We hadden het geluk dat we in het ziekenhuis een gezinskamer kregen. Aangezien ik een keizersnee gehad had, was dat natuurlijk een heel grote opluchting. De verpleegsters vonden het schitterend om voor de afwisseling eens een man de kneepjes van de babyverzorging te leren.

Stefan was al heel snel zeker van zichzelf in de omgang met de kleine. Toen ik op de vijfde dag zelf zijn luier wilde verschonen, voelde ik me een echte kluns. Wat er bij Stefan zo simpel uitzag, leek voor mij opeens verschrikkelijk moeilijk.

Aangezien Stefan de eerste drie weken vakantie had, was hij meestal degene die de luiers verschoonde, de baby waste en aankleedde, enz. Toen de verloskundige weer eens langskwam om de kleine te onderzoeken en te wegen, zat ik in de put. Stefan was er niet en ik moest Maarten uitkleden. Hij schreeuwde om een of andere reden alsof hij vermoord werd en hield zich helemaal stijf. Toen ik eindelijk zijn rompertje uit had, liep het zweet over mijn gezicht en had ik tranen in mijn ogen. Ik schaamde me voor de verloskundige, want ik dacht dat ze nog nooit zo'n slechte moeder als ik gezien had. Als ik nu een vader zie die onder de kritische ogen van de moeder met zijn kind bezig is, roept dat altijd herinneringen op. Ik was toen ook het liefst weggelopen en had gezegd: doe jij het maar.'

Niemand wordt geboren met het talent om perfect met baby's om te gaan. Dat is iets wat je moet leren – en wat iedereen met een beetje geluk kan leren. Maar het vraagt wat tijd en oefening.

Mensen kunnen alleen maar leren uit ervaring als ze ook de kans hebben om fouten te maken. En hier knelt het schoentje. Als het om onze kinderen gaat, hebben we een nultolerantie voor fouten. Alles moet perfect zijn, ze mogen nergens onder lijden. Een vrome wens, die al snel niet haalbaar blijkt. Want wie niet bereid is fouten toe te laten, die moet wel alles zelf doen. Maar dan moet het je ook niet verbazen als niemand je na een tijdje nog wil helpen.

Mario had in ieder geval na de ramp van het familiefeest geen zin om zich nog veel met Max bezig te houden en zo te leren. Zijn rationele reactie op Petra's verwijten en zijn eigen onzekerheid was terughoudend In de toekomst zal hij zich nog weinig spontaan met zijn zoon bezighouden, waardoor Petra nog meer ervaring opdoet dan Mario en het verschil nog groter wordt.

De specialist

Hoe moet het dan? Het zou natuurlijk ideaal zijn als beide ouders vanaf het begin evenveel tijd en kans hebben om met de baby om te leren gaan. Maar in de meeste gezinnen is dat niet haalbaar. Meestal blijft de vader werken en blijft de moeder, althans gedeeltelijk, met de baby thuis. En als mama's werk alleen nog maar uit de verzorging voor het kind bestaat, dan is zij natuurlijk de baas op dat gebied.

Een echt goede baas weet hoe hij moet delegeren. Delegeren betekent niet richtlijnen geven, maar een taak doorgeven. De baas geeft aan welk resultaat er bereikt moet worden, maar hij zegt niet hoe. Eigenlijk betekent dit dat je je medewerkers niet als onmondige helpers ziet, maar als experts op hun eigen gebied behandelt. Daarvoor is het natuurlijk belangrijk dat de medewerkers een terrein hebben waarop ze experts mogen zijn. En terrein waarop zij beter zijn dan de baas.

In het gezin betekent dit: de andere ouder moet voor bepaalde dingen die de baby aangaan de hoofdverantwoordelijke zijn. Hij kan bijvoorbeeld het dagelijkse bad, het naar bed brengen, het kopen van kinderkleding of speelgoed, het contact met de oppasmoeder of het nagelknippen overnemen. Wat het ook is, op dat terrein is papa dan de baas en weet hij het dus ook het beste.

Het voordeel: een vader die zichzelf op een bepaald terrein competent voelt, zal zich ook op alle andere vlakken beter voelen. Wie zijn baby iedere avond zonder veel problemen naar bed kan brengen, zal er ook niet echt voor terugschrikken om hem 's morgens aan te kleden, eten te geven of in bad te doen. En als ik als moeder zie dat mijn partner het met de baby op een bepaald terrein beter doet dan ik, ga ik er automatisch van uit dat hij ook andere dingen goed kan.

Maar het werk met de baby kan en mag niet alleen naar activiteiten maar moet ook naar tijd ingedeeld worden. Vaders die een drukke baan hebben, kunnen het vaak wel regelen dat ze op bepaalde tijden verantwoordelijk zijn voor de baby. Maar dan ook met alle gevolgen, zonder mama als vangnet. Want alleen op die manier raken ze vertrouwd met de baby.

Elke moeder kent de situatie: het kind huilt en huilt en je krijgt het niet gekalmeerd. Je voelt je machteloos en radeloos. Het liefst zou je de baby ter plekke weggeven, aan iemand die er wel mee overweg kan. En dat is precies wat de meeste vaders doen als de moeder op zo'n moment in de buurt is. Welgestelde vrouwen deden het vroeger trouwens ook zo, want zij hadden kindermeisjes die verantwoordelijk waren voor de baby. Mevrouw mama bekommerde zich net als de huidige vader maar af en toe om het kind en zeker niet in crisissituaties. 'Dat kan ik echt niet', zeiden ze uit de grond van hun hart. En het kindermeisje gaf hun gelijk.

Het staat vast dat competentie niet bepaald wordt door het geslacht, maar door ervaring. En ervaring krijg je door de kans te krijgen het te doen. Geef dus de vader de kans om zelfstandig ervaringen op te doen met de baby!

Waarom zouden wij dat doen? Waarom is het zo belangrijk dat vader geen assistent van de moeder is? Omdat we dan ontlast worden en ook eens kunnen bijkomen? Daar gaat het niet om. Dat is alleen een leuke bijkomstigheid.

Een verantwoordelijke vader is in eerste instantie belangrijk voor het kind. Als de vader gedegradeerd wordt tot assistent van de moeder, dan neem je je kind (en natuurlijk ook je partner) een waardevolle, unieke relatie af. Een vader die zich nooit echt en dus ook alleen voor zijn kind verantwoordelijk voelt, die beleeft zijn kind niet als zelfstandige persoon, maar als een aanhangsel van de moeder. Als op een dag de relatie met de moeder misloopt, dan gaat vaak gelijktijdig de relatie met het kind achteruit. Gescheiden moeders kunnen daar heel wat over vertellen. Want de meesten beklagen zich niet alleen over het feit dat hij niet betaalt, maar ook dat hij al heel snel de belangstelling voor het kind verliest.

Veel mannen worden pas door een scheiding echte vaders. Sebastiaan bijvoorbeeld:

'Pas nadat ik van mijn vrouw gescheiden was, was ik voor het eerst een hele dag en langer alleen met onze dochter – en was ik alleen verantwoordelijk voor haar. Opeens was er niemand meer die me zei wat ik haar voor kleren aan moest trekken of dat ik haar nu eindelijk naar bed moest brengen.

Van veel dingen heb ik door eigen ervaring geleerd dat mijn ex-vrouw gelijk had. Bijvoorbeeld in het gaan slapen. Caroline vond altijd dat Femke stipt om acht uur naar bed moest. Dat begreep ik niet echt. Ik dacht: dat maakt toch niet uit, dan slaapt ze 's morgens gewoon langer. Inmiddels weet ik dat het zo niet werkt. Als ze pas om tien uur naar bed gaat, is ze toch om zeven uur wakker en dan is ze de hele dag onuitstaanbaar. Maar ik moest eerst zelf een lange verknoeide, onuitgeslapen dag met mijn dochter doorbrengen om dat echt in te zien.

Maar er zijn ook veel dingen die ik nog steeds anders doe dan mijn ex, omdat ik zie dat het op mijn manier ook goed gaat.

Mijn relatie met mijn dochter is door de scheiding in ieder geval grondig veranderd. Ze is verbeterd. Ik kan elke vader alleen maar aanraden niet toe te laten dat de moeder de omgang met het kind helemaal monopoliseert. Dat zij de enige is bij alles wat het kind aangaat. Als je dat laat gebeuren, heb je eigenlijk geen eigen kind. Je leeft dan samen met een vrouw die een kind heeft. Meer niet.'

EasyBaby-regel nr. 18: Iedereen kan met een baby om leren te gaan. Een vader net zo goed als een moeder.

EasyBaby-regel nr. 19: Iedere vader zou een aantal terreinen moeten hebben waarop hij de hoofdverantwoordelijke is voor de baby.

EasyBaby-regel nr. 20: Elke vader zou zo nu en dan alleen verantwoordelijk moeten zijn voor zijn baby – zonder betutteling van de moeder.

EasyBaby-regel nr. 21: Alle vaders mogen fouten maken in de omgang met de baby. Net als alle moeders. Baby's zijn gelukkig zo gemaakt, dat ze de fouten overleven.

Geen eigen mening meer:
Van nu af aan weten anderen wat het beste is voor jou

Mensen die beroepsmatig met zwangere vrouwen te maken hebben, zijn mensen met sterke overtuigingen. Eigenlijk is dat heel verfrissend. Eindelijk is het niet langer een geval van enerzijds-anderszijds, eindelijk krijg je duidelijke woorden in plaats van vage inzichten. Heerlijk! Je hersenen gewoon helemaal uitschakelen. Je kunt je gewoon laten gaan en toch uitstekend opgevangen worden.

Experts en hoe je ermee omgaat

Dit gevoel houdt helaas alleen maar stand zolang je maar met één zwangerschapsexpert te maken hebt. Zodra je bij de volgende expert komt – live of in een tijdschriftrubriek met goede raad – is het niet simpel meer. Dan zul je merken dat precies het omgekeerde met evenveel overtuigingskracht gebracht kan worden.

Voor veel vrouwen begint dit circus al voordat ze in verwachting zijn. Namelijk voor de vrouwen die de pech hebben dat ze niet simpelweg door seks zwanger kunnen worden.

Probeer je de volgende situatie voor te stellen: op een dag besluit je dat het nu het goede moment is voor een kind. Er gaan een paar maanden voorbij en je wordt niet zwanger. Dat is misschien wel normaal, denk je dan. Ik heb zo lang de pil genomen, dus mijn lichaam heeft tijd nodig om zich te herstellen.

Na een half jaar begin je te denken dat je het misschien wat beter moet organiseren. Je gaat na wanneer je een eisprong hebt en dan begint er een tijd die elke relatie op de proef stelt: de seks-volgens-schema-tijd. 'Is dat niet vreselijk?' wordt er gevraagd aan een vrouw die in deze fase zit. 'Ach ja', antwoordt ze. 'Je doet het gewoon even – en stelt je voor daarna iets leuks voor.'

Aangezien de relatie hiermee zwaarder belast wordt en de laatste vonken uit het seksleven verdwijnen, komt al snel het punt waarop de arts geraadpleegd wordt. Als leek kun je dan denken dat het probleem nu tenminste grondig onderzocht wordt. Dat je snel een antwoord krijgt op de vraag of jij of je partner wel vruchtbaar zijn. Als je arts op die manier reageert, heb je echt geluk gehad. Blijf hem trouw.

De kans is echter groter dat hij je aanraadt om geduld te hebben en te ontspannen. Onder het motto: het is je eigen schuld dat je niet zwanger wordt, je wilt het gewoon te graag.

Katia heeft haar dokter te lang vertrouwd:

'Er zijn drie jaar voorbijgegaan zonder dat we iets gedaan hebben, want mijn dokter troostte me iedere keer. Eerst moest ik me ontspannen en yoga doen. Toen plantaardige preparaten nemen. Dan mijn voeding aanpassen. Ik moest zelfs psychotherapie volgen. Op een gegeven moment werd mijn man eindelijk onderzocht en er werden hem ondersteunende preparaten voorgeschreven. Ik vroeg telkens weer of het niet sneller en intensiever onderzocht kon worden, maar de dokter was er honderd procent van overtuigd dat de oorzaak psychologisch was. En ik had niet de kracht om daar tegenin te gaan. Ik dacht: zij is de vakvrouw, zij zal het wel weten.

Pas na ruim twee jaar werd er bij mij een echo van mijn buik gemaakt en werd er vastgesteld dat mijn eileiders helemaal vergroeid zijn. Ik had me dus tot in de eeuwigheid kunnen ontspannen om zwanger te worden! Inmiddels was ik 38. En nu weet ik dat bij kunstmatige bevruchting elk jaar dat je jonger bent een groot voordeel is. Gelukkig ben ik alsnog zwanger geworden. Maar voor een tweede kind is het nu veel te laat.'

Gelukkig blijft de meeste vrouwen deze odyssee bespaard. Bij hen begint de betutteling pas na de positieve zwangerschapstest. Samen met dit bewijs van hun zwangerschap krijgen ze de eerste adviezen, die vaak meer lijken op strikte aanwijzingen.

Sommige punten zijn onbetwistbaar: niet roken, geen alcohol drinken, foliumzuur nemen.

Maar dan houdt de unanimiteit op. Terwijl de ene verloskundige aanraadt jezelf te ontzien, legt de andere regelmatige beweging op. Er zijn verloskundigen die alle vliegreizen tijdens de zwangerschap afraden, maar er zijn er ook die alleen tijdens de eerste drie maanden een probleem zien, of die helemaal geen probleem zien in vliegen.

Vooral over het onderwerp vruchtwaterpunctie lopen de meningen sterk uiteen. Veel artsen vinden het onverantwoord mogelijke misvormingen niet volledig uit te sluiten en dringen aan op een punctie. Als je daar je bedenkingen bij uit, omdat je gehoord hebt dat ongeveer één procent van alle puncties leidt tot de dood van de foetus, zal deze arts vermoedelijk naar zijn eigen praktijk verwijzen, waarin zoiets natuurlijk nog niet voorgekomen is. Als je verloskundige met de modernste echoapparatuur uitgerust is, zal hij of zij de vruchtwaterpunctie vermoedelijk afdoen als een verouderde techniek waarmee je moedwillig het leven van je ongeboren kind in gevaar brengt.

Dit is niet de plaats om te discussiëren wie er gelijk heeft en welke opvatting juist is. Ik wil er alleen op wijzen dat het heel moeilijk is om de aanbevelingen van je verloskundige naast je neer te leggen. Je wilt die man of vrouw niet tegen je in het harnas jagen. Jammer genoeg is het meestal niet mogelijk om over dit soort dingen open te discussiëren, de feiten te bekijken en op basis daarvan tot een geïnformeerde beslissing te komen. Want meestal krijg je zelfs geen neutrale feiten, maar alleen de inzichten van de verloskundige. En soms berust dat inzicht niet eens op feiten.

'Dat weet ik niet', zou in veel gevallen het beste en eerlijkste antwoord zijn. Maar juist dat antwoord zal je tijdens je zwangerschap niet vaak krijgen op je vele vragen. Niet van de arts, niet van de verloskundige en jammer genoeg ook maar zelden van andere moeders.

Een andere specialiteit van babyexperts is om de kennis maar in kleine beetjes te geven, meestal onder het voorwendsel dat ze de jonge moeder niet ongerust willen maken. Zo worden onregelmatigheden bij de echo vaak 'waargenomen' zonder de informatie wat die onregelmatigheden in het ergste geval kunnen betekenen. Ook verloskundigen geven de informatie maar beetje bij beetje prijs, in plaats van de moeder zo veel mogelijk kansen te geven om keuzes te kunnen maken.

Dit heeft Nathalie meegemaakt:

'Ik had vanaf het begin problemen met de borstvoeding. Mijn tepels waren al snel helemaal kapot. Mijn verloskundige raadde me aan om moedermelk op mijn tepels te smeren. Toen dat niet hielp, gaf ze me een crème. Toen die niet hielp, zei ze: "Tja, dan zullen we een tepelhoedje moeten gebruiken." Met een hoedje was het meteen beter. Toen ik vroeg waarom ze me dat niet meteen gegeven had, antwoordde de verloskundige dat haar filosofie was dat je zo weinig mogelijk tussenbeide moet komen. Als ze me meteen over het tepelhoedje verteld had, dan had ik de andere dingen waarschijnlijk zelfs niet geprobeerd. Ik was sprakeloos toen ik dat hoorde. Ik dacht, zo werkt dat toch niet! Wat kan mij haar filosofie schelen, ik moet toch zelf kiezen! Ik moet er toch van uit kunnen gaan dat ik van iemand die er iets van weet alle informatie krijg. En niet mondjesmaat.'

Daar komt het probleem bij dat de beide experts waar de jonge moeder na de geboorte mee geconfronteerd wordt – de (kinder)arts en de verloskundige – niet altijd dezelfde mening hebben.

Tina had het gevoel hulpeloos in een loopgravenoorlog tussen de huisarts en de verloskundige te zitten:

'Het begon er al mee dat de verloskundige me meteen waarschuwde voor de huisarts. "Pas goed op dat hij niet aan de navel begint te klooien", zei ze. "Je moet van de navel afblijven." En natuurlijk gebeurde dat wel. Er hing zo'n vies, droog stukje aan Jonas zijn navel en de dokter heeft dat er voorzichtig afgehaald. Ik wachtte met angst en beven de volgende ontmoeting met de verloskundige af. Terecht. "Dat is er zeker niet vanzelf afgevallen", schimpte ze. En ik voelde me als op school, als ik mijn huiswerk niet gemaakt had.

Bovendien besliste deze vrouw dat onze zoon geen fopspeen mocht hebben. Om de zuigreflex niet te verstoren. Verstoring van de zuigreflex of niet, we wisten op een gegeven moment geen andere oplossing meer dan het kind een fopspeen te geven. Hij hield vanaf het begin van zijn speentje en was er heel gemakkelijk mee te kalmeren. Iedere keer als ik de verloskundige zag, verstopte ik alle spenen. Ik durfde niet gewoon te zeggen dat ik het nu eenmaal anders besloten had. Dat is toch krankzinnig?'

Jij bent de scheidsrechter

Gemakkelijk gezegd. En hoe doe je dat? **EasyBaby** adviseert een vriendelijke maar sceptische houding. Vriendelijk omdat je nu eenmaal niet elke expert tegen je in het harnas wilt jagen en omdat de meeste artsen en verloskundigen nu eenmaal goede bedoelingen hebben. Maar tegelijkertijd ook sceptisch omdat alleen jij uiteindelijk de verantwoordelijkheid draagt. Dat moet je vanaf het begin goed voor ogen houden: alle beslissingen liggen bij jou. Andere mensen – al zijn ze nog zo ervaren en geleerd – kunnen alleen raad en informatie geven. Het is jouw baby.

Als je geconfronteerd wordt met experts, let dan hierop:

1 Kies ze zorgvuldig uit. Er zijn uitstekende experts, maar je moet er een beetje naar zoeken. Tips van vriendinnen zijn hier nuttiger dan de Gouden Gids. Vaak moet je naar verschillende experts gaan, voordat je er een vindt bij wie jij je goed voelt.

2 Zeg vanaf het begin duidelijk dat je zo veel mogelijk informatie wilt en ook over onaangename dingen meteen op de hoogte gebracht wilt worden. Veel experts denken dat ze zwangere vrouwen door weinig informatie te geven beschermen tegen onnodige zorgen. Soms heb ben ze daar gelijk in: er zijn vrouwen die blij zijn als ze niet over alle mogelijkheden zelf na moeten denken.

3 Observeer hoe de verloskundige omgaat met andere meningen. Wie agressief of beledigd reageert, kan beter andere patiënten zoeken.

4 Vraag aan de verloskundige dat de beweringen ook gestaafd worden met feiten. Je kunt best vriendelijk zeggen: 'Dat is een interessant onderwerp. Daar zou ik graag meer over willen weten. Kan ik daar ergens iets over lezen?' Als je jouw eigen scepsis wilt verbergen, kun je de twijfel altijd nog in de schoenen van de vader schuiven: 'Mijn man wil altijd alles nalezen. Kunt u hier een boek over aanbevelen?'

5 Gebruik het internet om meer informatie op te zoeken. Hier vind je voor alle denkbare gebeurtenissen en mogelijkheden ook getuigenissen van mensen die het meegemaakt hebben. Die helpen vaak meer dan een wetenschappelijk artikel.

EasyBaby-regel nr. 22: Verzamel zo veel mogelijk informatie. Ga niet blindelings op aanbevelingen af. Experts weten meer dan wij, maar zij kunnen geen beslissingen voor ons nemen. Uiteindelijk is het onze baby en onze verantwoordelijkheid.

De bevalling:
Net een bergbeklimming

Één van je belangrijkste taken als moeder is om ervoor te zorgen dat het met jou goed gaat. Want alleen als het met jou goed gaat, kun je echt goed voor je baby zorgen.

De zwangerschap heeft ons optimaal op die situatie voorbereid. Negen maanden lang leren we hoe het is als een ander mens volledig van onze lichamelijke, maar ook emotionele conditie afhankelijk is. Dit verband is al duizendmaal bewezen: de baby voelt het als de moeder stress heeft en ontspant zich als ze kalm is. Hij heeft er baat bij als ze goed en gezond eet en het is niet goed voor de baby als de moeder bijvoorbeeld een sigaret rookt. Kortom: als de baby ontspannen is, groeit de baby.

En dat geldt niet alleen voor de zwangerschap, maar ook voor de tijd daarna. Dus ook voor de bevalling. Bij een normale zwangerschap maakt het echt niet uit hoe je je kind ter wereld brengt. Maar het is wel belangrijk dat je het doet op een manier waar je zelf tevreden mee bent. Op een manier waar jij voor gekozen hebt en waar je niet toe gedwongen bent.

Laat je door niemand iets anders aanpraten. Baren is geen wedstrijd onder het motto: wie de meeste pijn kan verdragen, heeft gewonnen. Er wordt hier geen prijs uitgereikt voor de beste moeder.

Een vrouw die het belangrijk vindt haar kind helemaal op eigen kracht ter wereld te brengen, kiest er wellicht voor om thuis te bevallen. Iemand voor wie zekerheid het allerbelangrijkste is, is dan misschien weer gelukkiger met een ziekenhuisbevalling. Dat is allebei helemaal in orde. Beide manieren hebben voor- en nadelen. Tegenwoordig kun je gelukkig kiezen. Laat je die keuze door niemand afnemen.

De beklimming

Hoe kun je nu te weten komen welke manier van bevallen voor jou geschikt is? De geboorte van een kind kun je het beste vergelijken met een zware bergbeklimming. Het is weliswaar niet de Mount Everest die je moet beklimmen, maar toch wel een hoge berg.

Als je al eens een lange bergwandeling gemaakt hebt, dan weet je wat je aankunt en dat die berg voor jou geen grote uitdaging meer is, ook al was je eerste bergwandeling een ramp. Op een of andere manier ben je toch boven gekomen, maar je was zo leeg en kapot dat het prachtige uitzicht je gestolen kon worden. Dan wil je zoiets natuurlijk onder geen beding nog eens doen.

Dat is de situatie voor vrouwen die al een of meerdere kinderen hebben. Als de geboorte een positieve ervaring was, is het allemaal duidelijk. Het is dan verstandig om bij het tweede kind geen experimenten aan te gaan, maar op dezelfde manier te bevallen.

Goede ervaringen herhalen, slechte veranderen

Christine was heel tevreden met de bevalling van haar eerste zoon en wilde dat alles bij de tweede bevalling op dezelfde manier ging. Ze bereidde zich met yoga op de geboorte voor en ze was van plan in het ziekenhuis op een baarkruk te bevallen. Ze wilde daarbij zo weinig mogelijk medische interventie en medicijnen.

Maar toen maakte ze een kleine, maar belangrijke fout. Ze koos voor een ander ziekenhuis. In het tweede ziekenhuis luisterde men amper naar haar behoeften. Er was bijvoorbeeld geen baarkruk te vinden. En Christine lag tijdens de bevalling voortdurend aan een CTG-monitor, zodat ze de yogaoefeningen die de laatste keer zo goed geholpen hadden gewoon niet kon doen.

Toen het kind na lange en pijnlijke uren geboren werd, was Christine aan het einde van haar Latijn. In tegenstelling tot de eerste geboorte, die mooie herinneringen achterliet, was de tweede een beproeving.

Op eigen benen

Wat nu als je een eerste kind verwacht en amper kunt inschatten wat er allemaal op je afkomt?

Laten we bij de vergelijking blijven: het zou kunnen dat je weliswaar geen ervaren bergbeklimmer bent, maar dat je wel heel sportief bent.

Dan kun je er eigenlijk van uitgaan dat je de berg vrij gemakkelijk de baas kunt.

Niet alle vrouwen hebben 24 uur lang weeën. Voor sommigen gaat het allemaal heel snel. Dat gebeurt niet zo vaak, maar het gebeurt. Vaak zit het in de familie.

Als de natuur je dit cadeau gegeven heeft, neem het dan gewoon dankbaar aan. Of je er nu voor kiest om in het water, in een ziekenhuisbed of thuis op de bank te bevallen, krijg je kind gewoon waar jij dat het liefste wilt.

De bevalling als uitdaging

Linda is een heel doelbewuste vrouw die altijd weer haar persoonlijke grenzen wil verleggen. Maar dat doet ze niet naïef, maar altijd zo goed mogelijk voorbereid. Dus als zij een berg moet beklimmen, zal ze dat met veel enthousiasme doen, want ze is een flinke uitdaging nog nooit uit de weg gegaan. Wat pijn en een paar problemen neemt ze dan graag op de koop toe. Met een goede training bereidt ze zich dan ook optimaal voor op de beklimming. Haar houding: je kunt alleen maar ten volle van de top genieten als je er op je eigen benen naartoe geklommen bent.

De geboorte van haar eerste kind pakte Linda even doelbewust aan als alle andere projecten in haar leven. Ze informeerde zich grondig over alle mogelijkheden en besloot al heel snel dat ze graag thuis wilde bevallen. Ze ging niet alleen naar de prenatale gym, maar deed alle oefeningen ook plichtsbewust elke dag thuis. Ze zocht heel lang naar een verloskundige, tot ze iemand gevonden had die ze echt vertrouwde.

De bevalling was ondanks alle zorgvuldige voorbereidingen niet gemakkelijk. Het duurde heel lang en het was bovendien een pijnlijke ervaring. Maar het bleef bovenal van het begin tot het einde een belevenis die Linda voor geen goud wilde missen. 'Ik moest heel hard werken en regelmatig mijn tanden op elkaar zetten. Maar ik wist altijd dat ik het aankon. En daardoor was het geen verschrikkelijke, maar een wondermooie ervaring. Niet alleen de geboorte zelf, maar ook de weg ernaartoe. Ik had echt het gevoel dat mijn man en ik onze dochter samen op de wereld brachten. Het was tot nu toe ongetwijfeld de mooiste dag van mijn leven.'

Klimmen met hulp

Als je het verhaal van Linda hoort, heb je eigenlijk maar één gedachte: dat wil ik ook! En daarbij zie je vaak twee dingen over het hoofd die essentieel waren voor deze schitterende ervaring: Linda's voorbereiding en haar instelling.

Wens en waarheid: vaak twee verschillende dingen

Bij veel vrouwen gaat het zoals bij Marlies. Ze zijn geen bergbeklimmers, maar ze zijn gefascineerd door de verhalen van bergbeklimmers die vertellen over het gevoel dat ze op de top hadden. Dat willen ze ook meemaken. En ze gaan ervan uit dat de beklimming wel niet zo zwaar zal zijn...

Marlies had dus besloten om haar kind 'helemaal natuurlijk' te krijgen. Ze wilde met een heldere geest en helemaal bij bewustzijn haar dochter op de wereld zetten. Ze koos voor een ziekenhuis met heel weinig medische interventies en volgde uiteraard zwangerschapsgym. Ze probeerde de oefeningen ook thuis te doen, maar er kwam altijd wel iets tussen...

De eerste weeën kondigden zich aan en Marlies zette haar tanden op elkaar. Op een bepaald moment kon ze de pijn echt niet meer uithouden en vroeg om een verdoving. De verloskundige raadde het haar af: 'De baby is er bijna. Nog hooguit een half uur.'

Twee uur later was de baby nog steeds niet geboren. En nu was het natuurlijk te laat voor een epidurale verdoving. Marlies kon het ondertussen niet meer schelen. Zelfs de baby liet haar koud. Ze wilde alleen nog maar dat de pijn stopte.

Marlies' voorbeeld toont aan dat de aanpak: ik probeer het eerst zo en als het echt niet gaat, kan ik nog een epidurale verdoving vragen, vaak niet zomaar werkt. Als de geboorte eenmaal begonnen is, is het vaak onmogelijk om nog controle over de zaken te krijgen. Als de verloskundige zich als doel gesteld heeft de geboorte zo natuurlijk mogelijk te laten verlopen, lukt het bijna geen enkele vrouw om toch nog een epidurale verdoving te krijgen. En er is natuurlijk ook een moment waarop dat medisch gezien niet meer mogelijk is.

Als je de mogelijkheid open wilt houden om tijdens de bevalling van mening te veranderen, moet je vooraf duidelijke afspraken maken en een goede bondgenoot hebben, bijvoorbeeld de vader, die tijdens de bevalling in tegenstelling tot de moeder niet overmand wordt door pijn en dus beter zijn wil kan doordrukken.

EasyBaby-regel nr. 23: Wat voor mij als moeder goed is, kan voor iemand anders helemaal verkeerd zijn.

EasyBaby-regel nr. 24: De manier waarop mijn kind geboren wordt, maakt mij niet tot een betere of een slechtere moeder.

Deel II

De EasyBaby-methode
in de praktijk

De eerste weken:
Moeder worden, cool blijven

De eerste weken met de baby doen echt denken aan een ritje in de achtbaan: verschrikkelijk opwindend, maar tegelijk ook verschrikkelijk vermoeiend. Overgelukkig en vol tranen. Trots als een pauw en wanhopig. Alles is helemaal veranderd en toch nog hetzelfde. Geen wonder dat de meeste vrouwen in deze periode een beetje overstuur zijn. En dat zijn niet alleen de hormonen en een gebrek aan slaap.

Een uitzondering die de regel wordt

Veel mensen denken dat je die eerste weken gewoon moet proberen om te overleven. Ongeveer zoals je bij een natuurramp doet waar je geen invloed op hebt.

Die fatalistische houding leidt ertoe dat veel moeders geloven dat ze zich in die eerste periode honderd procent op de baby moeten richten. De baby moet zo vaak drinken als hij wil, slapen wanneer en zo lang als hij wil. En als hij huilt, kun je hem het beste in je armen houden. De meeste moeders zijn het erover eens dat zo'n pasgeboren baby nog veel te klein is voor regels of vaste tijden. Daar kun je op zijn vroegst na drie maanden mee beginnen.

Als je even nadenkt, kun je vast wel inzien dat je dit programma maar onder één voorwaarde kunt volhouden: je kunt in ieder geval maar één kind hebben. Als er een oudere broer of zus is of als je een tweeling hebt, is er geen plaats meer voor de alleenheerschappij van de pasgeborene.

En dat is ook goed. Wie de eerste weken beschouwt als een uitzondering waarin de wensen van de baby op de eerste plaats komen, heeft namelijk twee problemen.

Ten eerste kun je dit maar een paar weken volhouden. Dat is veel te inspannend. En het is zeker te veel voor een vrouw die door de geboorte, de borstvoeding en de omschakeling van haar hormonen lichamelijk en psychisch zwakker is. Het is dan ook geen wonder dat veel moeders huilend naast hun krijsende baby in elkaar zakken. Ze zijn gewoon aan het einde van hun krachten.

Andrea voelde zich overbelast bij haar eerste kind:

'Ik heb het indertijd aan niemand verteld omdat ik me zo schaamde. Ik schaamde me dat zo'n kleine baby me gewoon te veel was. Dat ik het niet aankon. En ik schaamde me ervoor dat ik zo ongelukkig was nu eindelijk het kind er was waar ik zo lang op had gewacht. Ik kreeg rugpijn door de baby constant te dragen en ik was doodop van de borstvoeding. Als de kleine sliep, probeerde ik te rusten, maar ik dacht voortdurend aan het ellendige moment waarop hij weer wakker zou worden en gaan huilen. Die eerste maanden waren zo verschrikkelijk dat ik ervan overtuigd was dat Lucas alleen zou blijven. Maar toen Leonie drie jaar later geboren werd, was het niet half zo moeilijk, hoewel ik maar half zo veel tijd voor haar had.'

Het tweede probleem met de 'uitzonderingsmaanden' is dat je zo moeilijk kunt terugkomen op een uitzondering.

Goed, je draagt je baby de eerste weken door de kamer om hem kalm te houden. Wanneer wil je daarmee stoppen? Goed, je geeft hem de borst zodra je denkt dat hij honger heeft. Wanneer ga je beginnen met regelmatige maaltijden? Goed, je laat hem in jouw bed slapen. Wanneer is dan het moment gekomen voor zijn eigen bed? En waaraan herken je dat tijdstip anders dan aan je eigen uitputting?

Vera had deze ervaring:

'We vonden het zo heerlijk als Freek bij ons in het grote bed sliep. En op een of andere manier is het er lang niet van gekomen om hem aan zijn eigen bed te wennen. Toen wij het absoluut niet meer leuk vonden dat hij bij ons sliep en we ons bed weer voor onszelf wilden hebben, begreep Freek dat eerst niet. Nu is hij drie en natuurlijk leggen we hem meestal in zijn eigen bed. Maar heel vaak komt hij dan rond één of twee uur toch bij ons. Ik denk vaak dat het anders zou zijn als we het vanaf het begin anders hadden gedaan.'

Eigenlijk is het met de nieuwe baby net als met een nieuwe baan. De eerste weken voelen aan als een uitzonderingspositie, maar tegelijkertijd ontdek je in deze periode precies hoe het er in de nieuwe firma aan toe gaat. Als je nu niet door de collega's aanvaard wordt, blijf je vermoedelijk altijd de buitenstaander. Als je nu je baas teleurstelt, zal je carrière moeizaam lopen. Een echt probleem. Uitgerekend de periode waarin je het minste zicht hebt op je werk is bepalend voor het verdere verloop van je tijd daar.

Met een baby is dat hetzelfde, in ieder geval bij de eerste. Bij de tweede heb je de meeste fouten al achter je gelaten.

Je kunt daar op zich niets aan veranderen. Maar je kunt het aantal fouten drastisch verminderen en tegelijkertijd iets doen voor je eigen emotionele evenwicht. Daarvoor moet je eerst en vooral je wisselende emoties zo goed mogelijk onder controle houden – en dat is allesbehalve gemakkelijk.

Jammer genoeg heb je daar in het begin helemaal geen zin in, want het gebeurt maar zelden dat je zulke sterke emoties hebt als na de geboorte van je eerste kind. Veel vrouwen zeggen dat het aanvoelt alsof je smoor verliefd bent. Een heel vreemd gevoel, een leuk gevoel. Je denkt dat al je problemen plotseling in het niets zijn opgelost. Niets is belangrijker dan de baby. Eindelijk weet je waarvoor je op de wereld bent.

Je zou toch gek zijn om zo'n gevoel, deze verliefdheid, niet ten volle te beleven! Bijvoorbeeld door elke wens van de baby te vervullen en hem altijd zo dicht mogelijk bij je te houden.

Eigenlijk wel. En misschien werkt dat bij sommige mensen ook wel. Maar de meeste nieuwbakken moeders betalen deze liefdesroes met een flinke kater.

Want hoeveel je ook van de baby houdt, hoe graag je hem ook bij je draagt en hem verwent – de baby huilt. Het idyllische beeld van mama en baby die samen zitten te knuffelen op de bank, in een ligstoel of in een hangmat duurt vaak maar een paar minuten. Het bestaat godzijdank, maar grote delen van de dag – en de nacht – gaat het anders.

Naast de uitputting krijgt de moeder dan ook nog eens te kampen met ontgoocheling, want in die eerste weken doe je alles en je krijgt niet eens een lachje terug. En even later komt de twijfel opzetten: waarschijnlijk doe ik alles verkeerd!

Je doet natuurlijk niet alles verkeerd, maar wel iets bepaalds. Moeders die op dit punt komen, overschatten zichzelf. Je kunt je baby niet alles besparen – noch een slecht humeur (ook baby's kunnen daar last van hebben), noch de darmkrampen. Moeders kunnen ervoor zorgen dat hun kind verzadigd, warm en droog is en dat het weet dat het niet alleen is op de wereld. Punt. Meer gaat niet. Meer is contraproductief. Want meer werkt de baby vaak op zijn zenuwen.

Regels – waar ook uitzonderingen op kunnen zijn

De **EasyBaby**-truc: minder doen. En vanaf het begin een duidelijk ritme en goede gewoonten invoeren, want een goed dagritme moet je aanleren. Wacht niet tot je na drie maanden op het punt komt waarop je kind regelmatig in zijn eigen bed wil slapen. Het punt waarop je kind niet meer 15 keer per dag de borst wil krijgen. Het punt waarop hij kalmeert zonder urenlang rondgedragen te worden. Wacht niet op dat magische moment – want dat komt niet.

Je baby gedraagt zich zoals jij hem dat leert. Als jij hem leert dat je alleen aan de borst in slaap kunt vallen, zal hij zich daaraan aanpassen. Natuurlijk kun je ook na drie maanden nog beginnen met het aanleren van goede gewoonten. Maar dat maakt het niet gemakkelijker, alleen maar zwaarder.

Vaak helpt het ook om je af te vragen of je echt het verlangen van de baby wilt bevredigen. Of het niet vaak onze eigen wensen zijn die daarachter zitten. Dikwijls is het namelijk niet de baby die gedragen wil worden, maar de moeder die het kind heel dicht bij zich wil hebben. Daar is natuurlijk niets tegenin te brengen. Natuurlijk mag je je kind ook zomaar een keer op de arm nemen. Maar onthou wel dat een baby geen pop is die je naar believen kunt oppakken en wegleggen. Het is een wezen dat elke seconde van zijn leven leert. Hij probeert zijn conclusies te trekken uit alles wat je doet. En hij probeert op zijn eigen ritme overal een routine in te vinden.

Daarom is het belangrijk je ervan bewust te zijn dat die eerste maanden zeker geen uitzondering zijn waarin er geen regels zijn. Deze tijd is veel meer de basis voor je relatie met je kind.

Als je er dus in de eerste weken behoefte aan hebt je kind veel te dragen, moet je eens proberen een zak aardappelen van tien kilo op je arm te houden – zo veel weegt je baby namelijk over een paar maanden. Ga voor jezelf na hoe je over een tijdje met je kind om wilt gaan. Stel je het gezin voor over zes of twaalf maanden, over twee of drie jaar. Werk vanaf het begin naar dit doel toe, vanaf de allereerste dag.

Het is trouwens ook niet eerlijk om de pasgeboren baby de eerste weken een wereld te laten zien waarin hij op langere termijn niet zal kunnen leven. Natuurlijk moet je de behoeften van je kind bevredigen. Dat is jouw taak en jouw verantwoordelijkheid. En een baby is op een heel specifieke manier op jou aangewezen. Maar als je niet voorgoed de slavin van je kind wilt zijn, wees dat dan ook niet in de roes van de eerste verliefdheid. Je kind zal niet begrijpen dat deze fase plotseling voorbij is.

Als je minder voor je kind doet en vanaf het begin ook aan je eigen behoeften denkt, ben je niet egoïstisch, maar echt een goede moeder. Omdat het jou zelf gelukkig maakt – en dat merkt je kind ook. Maar vooral omdat je je kind de kans geeft iets heel belangrijks te leren, namelijk onafhankelijk worden.

Wat je je kind ook leert – eten, slapen, lezen – eigenlijk komt het altijd op hetzelfde neer: zijn onafhankelijkheid bevorderen. Dat is niet harteloos, dat is de belangrijkste opdracht van een moeder. En je moet niet eerst een paar maanden wachten om daarmee te beginnen. In het belang van je kind is dat een proces dat begint bij het doorknippen van de navelstreng.

Hoe je je ook gedraagt, de eerste weken met de baby zijn heel vermoeiend. En laat je niet misleiden door de eerste dagen, want bijna alle baby's zijn dan nog heel rustig en slapen de vermoeidheid van de bevalling weg. Maar de eerste weken zijn ook prachtig. Het beeld van verliefdheid dat veel moeders gebruiken om hun gevoel voor het kind te omschrijven, is op alle vlakken heel treffend: verliefd zijn is ook een extreme belasting op emotioneel en lichamelijk vlak. Maar wie wil dat opgeven?

Het is vaak goed om te weten dat deze vermoeiende eerste weken ook weer voorbijgaan. Ooit gaat je kind meer slapen en minder huilen. Ooit zul jij je als moeder zekerder en bekwamer gaan voelen. Maar het zou jammer zijn om deze weken alleen maar door te worstelen in afwachting van die toekomst.

Geniet van dit wonder. En zorg ervoor dat je genoeg kracht hebt om ervan te genieten. Daarvoor heb je voldoende slaap, veel frisse lucht, goede voeding en een beetje tijd zonder de baby nodig.

EasyBaby-regel nr. 25: Een regelmatig dagritme is geen vraag van de ouders, maar kan en moet vanaf het begin ingesteld worden.

EasyBaby-regel nr. 26: Bepaal voor jezelf hoe je als gezin wilt leven – en werk daar vanaf de eerste dag aan.

EasyBaby-regel nr. 27: Moeders die de onafhankelijkheid van hun kind bevorderen zijn niet egoïstisch maar tonen daarmee hun liefde.

EasyBaby-regel nr. 28: Het proces van afstand nemen begint bij het doorknippen van de navelstreng.

Borstvoeding of flesje:
Zijn flessenmoeders slechte moeders?

De meeste dingen in het leven zijn eigenlijk ingewikkeld. Ze hebben voor- en nadelen. Je bent wellicht gezond, maar proeft niets. Je maakt plezier, maar richt bij anderen schade aan. Als je goed kijkt, blijft er niet veel meer over dat uitsluitend goed is.

Borstvoeding is één van deze zeldzame uitzonderingen. Borstvoeding is gewoon perfect. Er is geen enkele studie die iets negatiefs over borstvoeding weet te zeggen. Er is geen enkele expert die borstvoeding afraadt. Het is bijna te mooi om waar te zijn. Terwijl over alle andere aspecten van kinderen krijgen en kinderen hebben altijd weer oeverloos gediscussieerd wordt, is iedereen het op dit punt eens: verloskundigen, moeders en vaders, wetenschappers en zelfs de fabrikanten van babyvoeding. Borstvoeding is en blijft tijdens de eerste maanden de beste voeding voor ieder kind. Punt. Einde mededeling.

Daar komt nog bij: het kost niets. Het kan op elk moment. En je hebt er geen werk aan.

Borstvoeding kan geweldig zijn

'Zo zou het hele leven moeten zijn', zegt Monique. 'Ik vond borstvoeding geven gewoonweg heerlijk. Je hoeft alleen maar gezellig op de bank te gaan zitten, je bent eigenlijk heel ontspannen en doet verder helemaal niets. Bovendien kun je er honderd procent zeker van zijn dat je voor één keer zonder enige twijfel het beste doet. De baby, die eerst nog zeurde, sabbelt gezellig aan je borst en alles is rustig in huis. Dat was voor mij ongetwijfeld de mooiste tijd van de dag. Iedere keer besefte ik weer hoe gelukkig dit kind mij maakt.'

En dan is borstvoeding ook nog goed voor de moeder zelf. Niet alleen omdat het het krimpen van de baarmoeder bevordert. Het beschermt je ook tegen borstkanker en helpt op een natuurlijke manier om snel je figuur van voor de zwangerschap terug te krijgen.

Voor Brigitte was borstvoeding een soort dieetwonder:
'Ik heb altijd goed op mijn lijn gelet, veel sport gedaan, bewust gegeten en zo. Ik was eerlijk gezegd een beetje bang voor mijn figuur na de zwangerschap. Maar borstvoeding was het beste dieet dat ik ooit gevolgd heb. De kilo's vlogen eraf. En dat terwijl ik tegelijkertijd at als nooit tevoren. Veel meer, veel zoeter en veel vetter – wat ik anders niet doe.'

Ook moedermelk kan te veel kosten

Borstvoeding is dus duidelijk een soort wonder. In ieder geval als het goed gaat. En dat is niet zo bij elke moeder. Vooral bij het eerste kind zijn er in het begin vaak problemen.

Bovendien zijn er vrouwen die niet zo te vinden zijn voor borstvoeding. Zonder dat ze precies uit kunnen leggen waarom hebben ze er een aversie tegen. Alleen al het beeld van een moeder die borstvoeding geeft, roept weerzin bij hen op. De meeste vrouwen bij wie dat het geval is, weten dat ook al heel zeker voor de geboorte. Maar sommigen ontdekken dat pas als ze het zelf proberen.

Deze vrouwen hebben het absoluut niet gemakkelijk, want de hele omgeving van zwangere of pas bevallen vrouwen beschouwt borstvoeding als de enige gezonde voeding. Een vrouw die geen borstvoeding wil geven, kan eigenlijk meteen een bord om haar nek hangen met 'slechte moeder' erop. Ook bij de zwangerschapsgym en in alle consultatiebureaus proberen ze om de afvalligen toch nog over de streep te trekken.

Als je dus heel zeker weet dat je geen borstvoeding wilt geven, wapen je dan meteen voor de druk van je omgeving. Blijf bij je beslissing en laat je geen slecht geweten aanpraten. Het beste is om daar al voor de geboorte open over te praten, want tijdens de zwangerschap ben je beter bestand tegen kritiek en pogingen om je te overtuigen dan in de eerste kwetsbare dagen na de geboorte.

Isabelle heeft gekozen voor de frontale aanval:

'Het was van het begin af aan duidelijk dat ik geen borstvoeding wilde geven. Alleen het idee al stond mij tegen. Ik en borstvoeding! Ik zou bijvoorbeeld ook nooit zomaar zonder bovenstukje op het strand gaan liggen. Dat kan ik gewoon niet. Misschien zou ik me nog hebben laten overtuigen als onze baby een groot risico op allergieën had. Maar dat zou voor mij echt een grote opgave geweest zijn.

Ik had eigenlijk geen enkel probleem met mijn beslissing en was verbaasd dat zo veel mensen – natuurlijk vooral vrouwen – mij iedere keer weer vroegen: "Wil je echt geen borstvoeding geven?" Ik vond dat hen dit gewoon niets aanging en op den duur werkte het echt op mijn zenuwen. Daarom belde ik een paar dagen voor de geboorte nog eens naar het ziekenhuis waar ik zou bevallen en sprak met het afdelingshoofd. Ik zei hem duidelijk en onomwonden dat ik niet van plan was om over borstvoeding te discussiëren. En toen vroeg ik of zij daar een probleem mee hadden. Dat hadden ze blijkbaar niet.

Toen Saskia geboren werd, werkten de tabletten die de melkproductie moesten stoppen niet meteen. Ik ben totaal overbodig door de natuur als zoogdier uitgerust. Daarbij probeerde een verpleegster nog eens om me te overtuigen om toch borstvoeding te geven. Ik werd echt woedend en diende een klacht in bij het afdelingshoofd.'

Niet elke vrouw is zo zelfbewust als Isabelle. Daarom is het des te belangrijker jezelf ervan te overtuigen dat je gelijk hebt om zelf te beslissen hoe je je kind wilt voeden. Het heeft geen zin om iets te doen waar je zelf niet achter staat, alleen om anderen een plezier te doen.

Je bent een goede moeder als het goed gaat met je. Als je tevreden bent zonder borstvoeding, dan doe je je kind een groter plezier met flesjes.

Het wordt moeilijker als je eigenlijk wel borstvoeding wilt geven, maar daar problemen mee hebt. Veel vrouwen krijgen te kampen met tepelkloven, sommige met ontstekingen en soms blijft de melk gewoon weg. Voor bijna alle problemen zijn er oplossingen, maar ze kunnen de borstvoeding wel voor je vergallen. Wie dan opgeeft, hoeft geen slecht geweten te hebben. Je kind heeft er niets aan als je bij elke maaltijd je tanden op elkaar moet zetten en al opziet tegen de volgende voeding.

Maar dat het soms toch de moeite waard kan zijn om je door de problemen heen te worstelen, bewijst het volgende verhaal.

Voor Angela was borstvoeding de eerste drie weken een zenuwslopende bezigheid:

'Het ging echt fantastisch. Mijn zoon wist vanaf de eerste seconde hoe hij aan de borst moest drinken en ik had genoeg melk. Maar al na een paar dagen begonnen mijn tepels zeer te doen. Vooral als ik Louis aanlegde had ik heel veel pijn. Op een dag kreeg ik de schrik van mijn leven: toen ik van kant wilde wisselen, zag ik dat Louis zijn mond vol bloed zat. Mijn hart stond stil! Maar gelukkig was het niet zijn bloed. Het waren mijn tepelkloven die bloedden. Er werd mij toen uitgelegd hoe ik Louis beter kon aanleggen. Maar toch duurde het een hele tijd voordat ik weer echt zonder pijn borstvoeding kon geven.

Normaal ben ik heel kleinzerig, maar tijdens de borstvoeding heb ik me altijd verschrikkelijk verbonden gevoeld met de baby. Dat is een intimiteit die men maar zelden meemaakt. En dat gevoel was altijd sterker dan de pijn.

Maar toen kwam er een veel groter probleem. Opeens bleef namelijk de melk weg. Ik weet nog steeds niet precies hoe dat kwam. In ieder geval krijste mijn baby omdat hij niet genoeg eten had. En een week lang werd de voeding van Louis een fulltime baan voor mij. Hij kreeg flesjes, zodat hij genoeg had. Verder legde ik hem regelmatig aan, zodat hij niet verleerde om aan de borst te drinken. Naderhand moest ik met een elektrische pomp om de paar uur afkolven om de melkproductie te stimuleren. Vooral deze pomp vond ik verschrikkelijk. Het doet helemaal geen pijn, maar je voelt je net een melkkoe. Na negen dagen had ik gelukkig weer genoeg melk voor mijn zoon, zodat we met flesjes konden stoppen. Juist omdat deze tijd zo zwaar was, wilde ik absoluut dat de borstvoeding weer goed ging. Ik dacht dat ik gek zou worden als ik het hele volgende jaar water moest koken en op temperatuur brengen, flessen en spenen steriliseren, enzovoort.'

Moedermelk is ongetwijfeld de beste voeding voor een baby. Maar een baby leeft niet van melk alleen. Hij heeft even hard liefde, aandacht en harmonie nodig in zijn kleine leventje. Net zoals hij tijdens de zwangerschap negen maanden het leven van zijn moeder gedeeld heeft, voelt hij nu ook nog iedere gemoedsgesteldheid heel scherp aan. En juist daarom is het zo belangrijk dat het met jou goed gaat. Als je om welke reden dan ook tegen je zin borstvoeding geeft, is de prijs voor moedermelk te hoog.

Bij alle enthousiasme voor borstvoeding mag je niet over het hoofd zien dat flessenmelk tegenwoordig van heel hoge kwaliteit is. Het bevat alles wat de baby nodig heeft en lijkt qua structuur en gebruik sterk op moedermelk. Melkpoeder is weliswaar de op één na beste oplossing, maar het is een zeer goede op één na beste oplossing.

Om meer moeders te overtuigen borstvoeding te geven, worden de nadelen van flesjes vaak sterk overdreven. Natuurlijk kan een flessenbaby krampen krijgen of allergieën ontwikkelen. Maar dat gebeurt ook bij kinderen die aan de borst drinken. Borstvoeding is weliswaar de beste voeding, maar het is geen garantie voor een immuunsysteem dat honderd procent werkt, een gladde huid, een ongestoorde vertering en gezonde eetgewoonten.

Kerrie tegenover ascese

Een voordeel van flessenvoeding is in ieder geval dat je altijd precies weet wat erin zit. Je kunt roken, drinken of je volstoppen met chips en chocolade – het melkpoeder blijft hetzelfde.

Bij borstvoeding is dat natuurlijk anders. Net als tijdens de zwangerschap eet je baby nu ook mee. Daar kun je verschillende conclusies uit trekken. In principe zijn er twee uitersten: de ene groep probeert vanaf het begin alles te vermijden wat slecht kan zijn voor de baby. De andere groep leeft hetzelfde als vroeger en laat alleen dingen weg als ze goede redenen hebben om aan te nemen dat de baby bepaalde voedingsstoffen niet krijgt.

De tweede mogelijkheid stemt overeen met de **EasyBaby**-methode. Want bij **EasyBaby** gaat het erom eerst het minimum en niet meteen het maximum te doen. Dus wie niet voortdurend op de limiet leeft, is ten eerste meer ontspannen en heeft ten tweede meer armslag.

Er zijn vrouwen die uit angst voor krampen bij de baby geen fruit of rauwe groenten eten en daarmee het risico lopen op tekorten. En als je niet vanaf het begin bijvoorbeeld uien en peulvruchten uitprobeert, weet je niet of die echt krampen veroorzaken bij je baby. Andere vrouwen vermijden scherp eten omdat ze denken dat dit niet goed is voor de baby. Als scherpe kruiden inderdaad slecht waren, dan zouden Indische en Thaise baby's het wel heel erg moeilijk hebben.

Je kunt er natuurlijk van uitgaan dat Aziatische baby's scherpe dingen gewoon beter verdragen. En dat is vermoedelijk ook wel waar. Aangezien de baby voor 50 procent jouw genen heeft, kun je ervan uitgaan dat hij – ook wat eten betreft – hetzelfde is als jij of als je partner, die de andere helft van de genen geleverd heeft.

Als jij zelf graag rauwe groenten of scherpe kerrie eet, kun je aannemen dat jij die aanleg doorgegeven hebt aan je baby. Maar als hij dan toch krampen krijgt (omdat de genen van papa misschien dominant zijn op dit vlak), dan kun je die voedingsstoffen alsnog weglaten en daarmee testen of die inderdaad de boosdoeners zijn. En je zult vaak zien dat de krampen blijven, hoewel je het een en ander weglaat uit je voeding. Krampen maken nu eenmaal deel uit van het leven van een baby.

Op voorwaarde dat je verloskundige geen beperkingen oplegt, kun je tijdens de zwangerschap en de borstvoeding van een eenvoudige regel uitgaan:

Wat goed is voor jou, is ook goed voor de baby. En wat niet slecht is voor jou, zal ook niet slecht zijn voor de baby.

Als je nu echter denkt dat dit een vrijbrief is voor de sigaret na het eten – want die doet jou zo veel goed! – dan vergis jij je. Die sigaret geeft je misschien wel een goed gevoel, maar is eigenlijk niet goed voor je. Want die sigaret maakt je niet gezonder, maar zieker. En dat geldt natuurlijk ook voor de baby.

Luister vooral goed naar jezelf en wees eerlijk. Dan weet je wat goed voor je is en wat eigenlijk helemaal niet goed is. Maar wees ook niet te streng voor jezelf. Wie zichzelf tijdens de borstvoeding zo nu en dan een kleine zonde toestaat – een goed glas wijn of fastfood – heeft daarna weer trek in gezonde voeding.

Maar je moet wel op één ding letten: tijdens de borstvoeding heb je veel meer vocht nodig dan anders. Je zult ook merken dat je veel meer dorst hebt. In ieder geval is dorst niet voldoende indicatie of je genoeg gedronken hebt. Je kunt jezelf het beste aanwennen om naast wat je normaal drinkt tijdens elke voeding een groot glas water te drinken.

Het ene doen, het andere niet laten

Borstvoeding of flesjes? Dat hoeft geen of-beslissing te zijn. Je kunt ze ook combineren. Veel moeders zijn bang dat baby's die regelmatig een flesje krijgen de borst te vermoeiend vinden en dus op den duur geen borstvoeding meer willen. Maar dat is gemakkelijk te voorkomen: er bestaan ondertussen speciale spenen die de zogenaamde 'zuigverwarring' tegengaan. Als je klassieke spenen wilt gebruiken, moet je er wel op letten dat het gaatje in de spenen van de flesjes relatief klein is zodat de baby ook bij flesjes hard moet zuigen.

Tijdens de eerste maand kun je zo ook de praktische overgang tussen borstvoeding en fles oplossen. Daarna wordt het moeilijker iets nieuws in te voeren. Als je baby bijvoorbeeld na drie maanden voor het eerst uit een flesje moet drinken, zal hij dat waarschijnlijk de eerste keer niet willen. Alleen als hij de fles al kent is hij bereid om beide manieren te aanvaarden.

Vergeet ook de strijd tussen borstvoeding en flesvoeding. Er zijn geen slechte moeders. Er zijn alleen moeders die zich zo voelen. Ofwel omdat ze borstvoeding geven terwijl ze dat eigenlijk helemaal niet willen, ofwel omdat ze gekozen hebben voor flesjes en zich daarna een slecht geweten hebben laten aanpraten. Maak jezelf het leven niet onnodig zwaar vanwege de baby. En denk eraan: het gaat niet over voldoende eten, maar om tevredenheid. En dat begint bij je eigen tevredenheid.

EasyBaby-regel nr. 29: Borstvoeding is de beste voeding voor een baby, maar als jij het met tegenzin doet, is de prijs voor moedermelk te hoog.

EasyBaby-regel nr. 30: Melkpoeder is weliswaar de op één na beste oplossing, maar het is een zeer goede op één na beste oplossing.

EasyBaby-regel nr. 31: Bij borstvoeding geldt: wat jou goed doet, doet de baby ook goed. En wat jou geen kwaad doet, zal ook de baby geen kwaad doen.

EasyBaby-regel nr. 32: Voldoende voeding is niet het probleem, maar wel de tevredenheid. En die begint bij je eigen tevredenheid.

Etenstijd:
Wedden dat je baby alles krijgt wat hij nodig heeft?

Of je je kind nu de borst of de fles geeft, is uiteindelijk niet zo belangrijk. Het is daarentegen wel belangrijk hoe je je kind te eten geeft. Twee basisprincipes van **EasyBaby** zijn respect en routine. En die gelden ook voor het eten. Dat wil zeggen: toon respect voor de maaltijd van je baby en zorg voor een betrouwbare routine.

Borstvoeding op aanvraag: geprogrammeerde onrust

De laatste jaren wordt het zogenaamde voeden op aanvraag gestimuleerd. Dat betekent dat de baby zo vaak aangelegd wordt als hij wil. Het probleem daarvan: hoe weet de moeder wanneer de baby aangelegd wil worden?

Ze kan het niet weten. Ze moet het uitproberen. Maar alle baby's die aan de borst gelegd worden, beginnen te zuigen. Dat is een reflex, een zuigreflex. Als de baby maar kort drinkt en dan nog sabbelt, weet de moeder: aha, dat was het dus niet. Ze haalt de baby van de borst en draagt hem misschien een beetje rond. Na een kwartiertje legt ze hem neer en de baby begint weer te huilen. Omdat hij de vorige keer niets gedronken heeft, legt mama hem weer aan. Misschien heeft hij nu echt honger?

Dit kleine verhaaltje gaat eindeloos door. Het gaat ook een eigen leven leiden. Want omdat de baby telkens maar kleine slokjes drinkt, heeft hij snel weer een beetje honger. Maar doordat er nooit veel tijd verloopt tussen de voedingen, heeft hij ook nooit echt honger en drinkt hij altijd maar kleine beetjes. En omdat hij altijd maar kleine beetjes drinkt... Zo is de cirkel rond.

Borstvoeding op aanvraag is niet alleen heel veeleisend, maar – zoals je ondertussen al vermoedt – ook niet echt gezond voor het kind. Daarom raden steeds meer artsen aan om altijd minstens twee uur te laten verlopen tussen de voedingen. Want permanent drinken wordt gezien als oorzaak en versterker van krampen. Als er in de babymaag verse melk op de nog niet helemaal verteerde melk van de laatste maaltijd drijft, vraag je om krampen.

Bovendien verandert de melk tijdens het drinken. Eerst komt er een soort dorstlessend voorgerecht: een waterige en vetarme melk. Pas na een paar minuten zuigen ontstaat de melkreflex, waardoor er romige, calorierijke melk vrijkomt. Om de nodige calorieën binnen te krijgen, moet de baby dus lang genoeg aan de borst liggen.

Een vaste dagindeling met je baby: respectvolle routine

Hoe jonger de baby is, hoe vaker hij gevoed moet worden. Borstbaby's willen in het begin elke twee tot drie uur eten en na een paar weken elke drie tot vier uur. Voor flessenbaby's zijn de tussenperiodes groter. Daar moet je de aanwijzingen op de verpakking opvolgen.

Het is niet zinvol om vanaf de eerste dag vaste borst- of flestijden in te stellen. Het gaat er meer om dat er een periode van minstens twee uur en maximaal vier uur tussen het einde van de ene voeding en het begin van de volgende voeding zit. Dat geeft je een speling van twee uur. Als je baby tijdens het derde of vierde uur huilt, heeft hij waarschijnlijk honger. Als er eenmaal een ritme ontstaat, dan weet je dat zijn gehuil tijdens de eerste twee uur een andere oorzaak moet hebben.

In de loop van de eerste drie maanden zal er een ritme ontstaan dat steeds meer naar vaste tijden neigt. Vanaf de vierde maand zou je overdag vier of vijf maaltijden moeten geven. En 's nachts zou hij met de tijd zonder melk moeten kunnen (meer daarover in het hoofdstuk 'Doorslapen').

Een typische dagindeling met vijf maaltijden kan er als volgt uitzien: Je geeft je baby 's morgens om 7 uur eten, dan om 10.30 uur, 's middags om 14 uur, om 17 uur en 's avonds een laatste keer om 20 uur.

Maar ook een schema met vier maaltijden, bijvoorbeeld om 7 uur, om 11 uur, om 15 uur en om 19 uur is mogelijk. **EasyBaby** is geen star systeem, maar geeft gewoon een bepaald basisritme, dat je dan individueel kunt aanpassen aan jouw kind.

Je moet flexibel omgaan met de tijden. Het kan helemaal geen kwaad als je hem een half uur vroeger of later eten geeft. Je zult heel snel merken dat je baby de zaken vrij nauwgezet neemt. Als er eenmaal vaste borst- of flessentijden zijn, reageren veel kinderen alsof ze een wekker ingeslikt hebben en willen ze altijd precies op hetzelfde tijdstip eten.

En daarmee komen we bij het tweede principe van de **EasyBaby**-methode: respect. Dat begint ermee dat jij je aan de tijden houdt die je samen met je kind ingesteld hebt. Dat betekent niet alleen dat je hem vrij regelmatig eten geeft, maar dat je deze tijd ook heel bewust vrijhoudt. Beschouw de maaltijden als tijden waarop je een afspraak met je baby hebt, die je alleen in noodgevallen kunt verzetten.

Er zijn heel veel moeders die denken dat ze hun kind altijd en overal de borst kunnen geven. Er zijn er veel die de tafel dekken of op Internet surfen terwijl ze de baby aan de borst hebben. Anderen bellen of kijken naar de televisie. Natuurlijk kun je alles doen. En de baby krijgt zo natuurlijk ook zijn buikje vol. Maar het is een vrij respectloze manier om een ander mens zijn eten te geven.

Als je volgens de **EasyBaby**-methode eten wilt geven, moet je de tijd nemen. Je geeft alleen borstvoeding op vastgestelde tijden, maar die tijd is dan ook helemaal voor je baby.

Zoek dus voor jezelf een vaste plaats waar je je baby eten wilt geven, zoals een gemakkelijke stoel. Maak het jezelf en je baby echt gemakkelijk en plan voor de maaltijd drie kwartier.

Hoe ouder het kind wordt, hoe sneller het drinkt. Later heeft hij wellicht nog maar tien minuten nodig om echt te drinken. Flessenkinderen zijn natuurlijk nog sneller. Maar rek de maaltijden gerust een beetje door het kind te knuffelen. Als je zelf eet, ga je ook niet snel even zitten, schuif je eten naar binnen en staat weer op om verder te gaan.

Geniet van de maaltijden. Zelfs huilerige baby's zijn bij de maaltijden rustige baby's. En er zijn weinig dingen zo heerlijk als samenzijn met een tevreden baby. Maaltijden zijn dus één van de gelegenheden waarbij je als moeder veel terugkrijgt en dingen kunt overdenken.

Je zult de voedingen waarschijnlijk niet altijd op dezelfde plaats kunnen geven. Uiteindelijk zijn ook moeders soms op reis of onderweg. Zoek dan een plaats die zo rustig en gezellig mogelijk is. Als je lang op één plaats bent, zou je ook daar iedere keer op dezelfde plaats moeten gaan zitten. Maar het is nog belangrijker dat je de baby ook op andere plekken toch onverdeelde aandacht geeft tijdens het eten.

Als je borstvoeding geeft, kun je de baby elke maaltijd aan één kant laten drinken of je geeft hem beide borsten. Hier wordt meestal aangeraden beide borsten te geven, in Amerika geven ze meestal elke keer maar één borst. Het heeft geen zin om erover te vechten wat het beste is. Als je een tweeling hebt, heb je in ieder geval geen keuze, want het zou onzinnig zijn om voor elke baby van kant te wisselen. Doe het gewoon zoals jij het wilt. Ons lichaam, dat grote wonder, past zich wel aan. Als je de baby altijd aan de rechterborst zou laten drinken, stopt de melkproductie in de linkerborst al snel.

Geef je baby na het eten voldoende tijd om een boertje te laten. Houd de baby daarvoor wat meer rechtop, bijvoorbeeld door hem tegen je schouder te leggen, waarbij zijn armen over je rug hangen en de beentjes gestrekt zijn. Je kunt daarbij zachtjes op zijn rug kloppen of een beetje van onder naar boven wrijven.

Je kunt je baby het beste na het eten een schone luier aandoen, want door het drinken versnelt de vertering. Veel baby's hebben na of tijdens elke maaltijd een vuile luier, andere maar één keer per week. Een oude vroedvrouwenspreuk zegt: borstbaby's vullen hun luier 'zeven maal per dag of eenmaal in de zeven dagen' – en alles daartussen is ook normaal. Zolang je baby een gezonde indruk maakt, hoef je je geen zorgen te maken over zijn gewicht. Als je het kind dagelijks weegt, word je op den duur gek. Het is voldoende om de aanbevolen afspraken na te komen waarbij de huisarts of het consultatiebureau de baby weegt.

De korte of de lange weg naar aardbeienijs

Op zijn vroegst na vier maanden en uiterlijk na zes maanden zou je met vaste voeding moeten beginnen.

Wie potjes geeft, kiest voor de zekerste voedingsmethode. Babyvoeding wordt onderworpen aan strenge kwaliteitsrichtlijnen en wordt nog veel meer dan bioproducten gecontroleerd. Hoewel zelfs het meest strikte controlesysteem geen honderd procent zekerheid biedt, is er geen andere voeding die zo sterk gecontroleerd wordt als babyvoeding. Je kunt er dus in principe op vertrouwen dat in de potjes alle belangrijke voedingsstoffen zitten en dat er geen schadelijke producten in zitten.

Wie zelf kookt en deze kwaliteit wil bereiken, moet gecontroleerde bioproducten kopen en ze meteen verwerken. Groente en fruit verliezen namelijk bij bewaring hun vitaminen en andere voedingsstoffen. Het is zeker niet nodig elke maaltijd vers te maken. Je kunt bijvoorbeeld een keer per week koken en het eten dan in porties invriezen.

Zelfgemaakte vaste voeding is in ieder geval kwalitatief niet beter dan potjes, maar in het beste geval gelijkwaardig. En aangezien je bioproducten moet kopen, is het ook meestal niet goedkoper. Dus dan wordt het duidelijk: kom maar op met die potjes, nietwaar?

Maar zo eenvoudig is het niet. Eten is meer dan alleen voedingsmiddelen. Eten en daarmee dus ook eten geven heeft een sterke emotionele kant. En juist daarom kiezen moeders die borstvoeding gegeven hebben er vaak voor om zelf te koken. Deze vrouwen beleven het voeden van hun kind als iets heel bevredigends. Bij de borstvoeding geven ze het kind iets van zichzelf. Door zelf te koken kunnen ze dat gevoel beter vasthouden dan met potjes die je in de magnetron zet.

Voor vaste voeding geldt dezelfde **EasyBaby**-regel als voor de vraag: borstvoeding of flesjes? Het is niet zo belangrijk wat je kind te eten krijgt. Het is wel belangrijk hoe je het voedt – namelijk met respect en ritme.

In principe maakt het niet uit welke melkmaaltijd je als eerste door vaste voeding vervangt. Maar het is aan te raden om nieuwe voeding niet 's avonds uit te proberen, want als het kind allergisch is of de voeding niet verdraagt, kun je daar overdag beter op reageren. Voor de keuze en volgorde van de voedingsmiddelen kun je het best afgaan op de adviezen van de huisarts of het consultatiebureau.

De overschakeling naar vaste voeding lukt meestal niet van vandaag op morgen en vraagt een beetje geduld. Geef je kind een paar dagen de tijd om aan de lepel en de nieuwe smaken te wennen. De eerste dagen zal hij waarschijnlijk maar één of twee lepeltjes willen eten. Geef hem dan daarna de fles of de borst. Je kunt beter per maand maar één melkmaaltijd vervangen door vaste voeding.

Als je borstvoeding geeft, heeft je borst ongeveer een week nodig om zich aan te passen aan de weggevallen melkmaaltijd. Bij vijf maaltijden per dag heb je dus vijf weken nodig om af te bouwen. Als je in deze periode niet volledig naar vaste voeding kunt overschakelen en je toch snel de borstvoeding wilt afbouwen, kun je de andere maaltijden vervangen door opvolgmelk. Maar je kunt ook borstvoeding blijven geven tot alle maaltijden vervangen zijn.

Na de eerste vijf maanden kun je proberen een zuigtuit te gebruiken in plaats van een speen. Dat werkt heel goed voor baby's die nog nooit eerder uit een flesje gedronken hebben en de speen dus gewoon niet kennen. Zuigtuiten zijn gezonder voor de ontwikkeling van de tandjes en kunnen gewoon met de flesjes in de spoelmachine.

Tijdens de eerste zes levensmaanden moeten flessen, spenen en fopspenen steriel zijn. Dat betekent dat je ze moet uitkoken of in een sterilisator moet doen. Na zes maanden is het voldoende als ze zogenaamd kiemvrij zijn. Dat kan in de afwasmachine.

De laatste borstvoeding die je weglaat mag in geen geval de avondmaaltijd zijn, want dat is vermoedelijk de maaltijd waar je baby het meeste belang aan hecht. Deze maaltijd kan leiden tot slaapproblemen. Maar er is nog een reden om de avondmaaltijd eerder door vaste voeding of opvolgmelk te vervangen: ze verzadigen allebei meer dan moedermelk, waardoor de baby beter en langer doorslaapt.

Hoe ouder je kind wordt, hoe meer verschillende dingen hij kan eten. En hoe groter de verleiding wordt hem alle mogelijke dingen te geven. Dag in, dag uit alleen maar gepureerde groenten en pap – dat lijkt voor een volwassene saai. Het kind moet zo snel mogelijk de verdere geneugten van de keuken leren kennen. Naargelang de ideologische achtergrond van de ouders krijgt het kind dus babykoeken of rijstewafels.

Of we het nu leuk vinden of niet, dat is overbodig. De rijstewafels net zo goed als de babykoeken. Babykoeken spreken namelijk niet het kind aan, maar vooral degene die ze geeft. Het is namelijk gewoon leuk om een baby eten te geven.

Maar geen nood, je kind leert snel er blij mee te zijn. Zolang hij de babykoeken niet kent, mist hij niets. Maar als hij ze eenmaal kent... Eetstoornissen, vooral overgewicht, behoren tegenwoordig tot de meest voorkomende kinderziekten. De basis daarvoor wordt vaak in het eerste levensjaar gelegd.

Wat leert een kind dat heel de dag door worteltjes en rijstewafels of dropjes en zuurtjes krijgt? Het leert dat er niet noodzakelijk een verband is tussen honger en eten. Het leert dat je eigenlijk voortdurend iets in je mond moet hebben.

Als je je kind vier of vijf maaltijden per dag geeft, zoals voorgeschreven door het consultatiebureau, wordt hij perfect voorzien. Hij krijgt alles wat hij nodig heeft. Een kind voelt immers van nature heel goed aan wat hij nodig heeft. Dat gevoel kun je heel gemakkelijk verstoren door bijvoorbeeld ook tussen de maaltijden door alsmaar eten te geven.

Vraag jezelf eens af waarom je wilt dat je kind tussen de maaltijden door iets eet. Eigenlijk zijn daar maar twee redenen voor.

Het kan zijn dat je denkt dat je kind niet genoeg eet en te mager is. Aangezien voeding de belangrijkste opgave is die de natuur aan ouders geeft, zijn ze heel gevoelig op dit punt. Als ons kind niet eet, gaan we ervan uit dat wij falen in onze belangrijkste opdracht. Natuurlijk is dat waanzin, maar ons gevoel ten opzichte van kinderen is niet altijd rationeel en logisch.

De **EasyBaby**-methode bestaat erin deze irrationele gevoelens te onderscheppen en onschadelijk te maken. Onthoud dus dat het eetgedrag van je kind jou niet tot een goede of een slechte moeder maakt. Je kind eet zoals hij is. Zolang je kind geen zware voedingsstoornis heeft, zal hij niet voor een vol bord verhongeren. Misschien eet hij weinig en misschien is hij heel slank. Maar hij zal niet verhongeren.

En je zult de situatie er niet beter op maken als je hem tussendoor koeken geeft. Daarmee bereik je alleen dat hij tijdens de maaltijden nog minder eet – en daardoor inderdaad te weinig voedingsstoffen binnenkrijgt. Juist als je je zorgen maakt, zou je hem in geen geval tussendoor iets mogen geven. Je kunt dan beter overleggen met je huisarts of het consultatiebureau.

De tweede reden voor tussendoortjes refereert ook meer aan de ouders. Deze ouders gaan gewoon van zichzelf uit. Volgens het motto: ik hou van aardbeienijs en dit genoegen wil ik met mijn kind delen.

Het is vaak een fout om je eigen wensen op je kind te projecteren. Je kind is niet per definitie moe als jij moe bent en je kind is niet verdrietig als het geen aardbeienijs krijgt. Wat hij niet kent, kan hij ook niet missen. Waarom wacht je niet gewoon af tot je kind zelf de geneugten van aardbeienijs ontdekt? Want je kunt er zeker van zijn dat hij die op een dag zal ontdekken. En het is de moeite waard om te wachten.

EasyBaby-regel nr. 33: Het is niet belangrijk wat je te eten geeft, maar hoe je het doet: met respect, op vastgestelde tijden en indien mogelijk altijd op dezelfde plaats.

EasyBaby-regel nr. 34: Zorg bij borstvoeding voor minstens twee en maximaal vier uur tussen de maaltijden. Bij flessenbaby's zijn de tussenperiodes meestal groter; hou je daar aan de instructies op de verpakking.

EasyBaby-regel nr. 35: Neem de tijd voor de maaltijden en geniet van deze ontspannen momenten met je baby.

EasyBaby-regel nr. 36: Vanaf de vierde maand zou je vier of vijf maaltijden op vaste tijdstippen moeten geven.

EasyBaby-regel nr. 37: Een baby heeft geen behoefte aan tussendoortjes, of het nu rijstewafels zijn of chocolade.

EasyBaby-regel nr. 38: Als je kind gezond is, zal hij niet voor een vol bord verhongeren.

EasyBaby-regel nr. 39: Je hoeft je kind het verlangen naar aardbeienijs niet aan te leren. Dat ontdekt hij vanzelf wel.

Doorslapen:
Je kind heeft recht op een goede nachtrust – en jij ook

'En, hoe zijn de nachten?', 'Slaapt hij al door?' – Slapen en vermoeidheid zijn meestal het eerste onderwerp van gesprek met kersverse moeders. We vinden het ondertussen normaal dat moeders (en natuurlijk veel vaders) het eerste jaar geen behoorlijke nachten hebben.

Het is nauwelijks voor te stellen dat dit vroeger anders was. Amper 30 jaar geleden was slaap – van de moeder en de baby – in het geheel geen gespreksonderwerp. Gewoon omdat het geen probleem was. Slaapproblemen bij kinderen waren zo goed als onbekend. En moeders sliepen al vanaf het kraambed gewoon door – omdat hun baby's toen 's nachts ook niet dronken.

Doorslapen vanaf het begin?

Elisabeth is nu 82 en heeft 50 jaar lang in verschillende dorpen als vroedvrouw gewerkt. Ze heeft zelf vier kinderen en vertelt vanuit haar jarenlange professionele en persoonlijke ervaring:

'Een lichaam dat aan het verteren is, kan niet rustig slapen. Het was voor mij dus heel duidelijk dat kinderen 's nachts niet moesten drinken. Ik gaf mijn kinderen 's avonds om tien uur, voordat ik zelf naar bed ging, de laatste voeding en dan 's morgens om zes uur weer. De allereerste week huilen ze veel 's nachts. Ik praatte dan zachtjes tegen hen en streelde ze. Maar na één week sliepen ze altijd door. En als ik naar mijn kleinkinderen kijk die na drie of vier jaar nog niet doorslapen, denk ik dat ik het niet zo slecht gedaan heb.'

Tegenwoordig weten artsen en wetenschappers zeker dat het voor pasgeborenen beter is om niet meteen een voedingspauze van acht uur op te leggen. Maar zodra de baby's een gewicht van vijf kilo hebben, kun je een nacht zonder voedingen inbouwen.

Bea's dochters sliepen vanaf acht weken door:

'Bij Marie, de eerste, was het eigenlijk toeval. Ze sliep gewoon na ongeveer acht weken zelf zeven uur door. En toen was het voor mij duidelijk: ze kan het. Ze verhongert niet als ze zeven uur lang niet drinkt. Als ze dat één keer kan, kan ze het ook vaker. Vanaf dat moment heb ik haar 's nachts altijd zeven uur lang geen borstvoeding gegeven.

Bij Louise, mijn tweede dochter, heb ik gewoon rustig afgewacht tot ze zelf één keer een lange pauze nam. En dat gebeurde bij haar ook vanzelf na een maand of twee.'

Er zijn eigenlijk twee uitersten waartussen ouders zich bewegen als het om de nachten gaat:

1 De Sears-methode: deze methode gaat terug op de uitvinder ervan, de Californische arts dr. William Sears. Deze methode zegt dat kinderen bij de ouders in bed slapen tot ze aangeven dat ze een eigen bed willen. Als ze wakker worden, worden ze getroost, bijvoorbeeld door ze de borst te geven of ermee rond te lopen. Het gezinsbed wordt ook als 'natuurlijk' beschouwd, want zo groeien kinderen in primitieve culturen ook op.

2 De Ferber-methode: ook deze methode gaat terug op een Amerikaanse arts, dr. Richard Ferber uit Boston. Zijn boek over slaapproblemen bij kinderen is in verschillende landen al jarenlang een bestseller. De Ferber-methode heeft als doel je kind te leren alleen te slapen en in slaap te vallen door het steeds langer te laten huilen – eerst vijf minuten, dan tien minuten, enzovoort.

Veel jonge ouders worden overmand door tedere gevoelens en beginnen met de Sears-methode, maar stappen op een gegeven moment uitgeput over naar de Ferber-methode; de anderen hebben jarenlang een gast in bed. Vaak is de komst van het tweede kind voor deze ouders de aanleiding om het bij de eerstgeborene anders te gaan aanpakken. Zoals je je wel kunt voorstellen, is dit geen erg goed moment voor zo'n ingrijpende verandering in het leven van het kind.

Hannes dochter slaapt niet in haar eigen bed

'Ik wou Emilie absoluut bij mij in bed hebben. Vooral omdat ik het niet over mijn hart kon verkrijgen om dat kleine wezentje in een bed met spijltjes te leggen. En verder was het wel handig, want ik heb haar het eerste jaar 's nachts nog borst-voeding gegeven. En ten slotte vond ik het ook gewoon leuk om niet alleen in bed te liggen, want haar papa was in die tijd alleen in het weekend thuis.

Toen Emilie twee werd, probeerde ik toch om haar aan haar eigen bedje te wen-nen, maar ze maakte er zo'n toestand van, dat ik daar meestal geen zin in had en haar dus toch maar bij mij liet slapen.

Een jaar later was ik in verwachting van Jan en het was mij duidelijk dat er nu eindelijk iets moest veranderen. Maar tijdens de zwangerschap kon ik het niet opbrengen om deze strijd aan te gaan. Ik heb het echt geprobeerd. Ik verdroeg haar woedeaanvallen en haar tranen. Maar toen ze weer in bed begon te plassen, gaf ik het op. Het einde van het liedje was dat ik met de nieuwe baby in Emilies kamer ging liggen en Emilie met mijn man in onze slaapkamer. Maar dat kan natuurlijk niet zo blijven doorgaan...'

Dat kun je wel zeggen. Veel ouders maken de fout door te denken dat de tijd alles wel zal oplossen. Ze denken: als het nu moeilijk is, zal het later wel gemakkelijker worden. Maar het is precies omgekeerd. Wie een baby niet kan overtuigen om zijn gedrag te veranderen, zal bij een driejarige zeker tegen de muur aanlopen.

Met de **EasyBaby-**methode hebben ouders vanaf de eerste dag het zelf-standig inslapen en doorslapen van hun baby in de hand. Dat wordt allebei zo snel mogelijk aangeleerd.

Daarvoor moet je een aantal essentiële dingen weten over slaapgedrag bij kinderen:

1 Baby's hebben een beetje hulp nodig om in slaap te vallen. Ze vallen weliswaar allemaal wel van uitputting in slaap, maar dan is het al veel te laat. Het is dus belangrijk zo snel mogelijk te zien wanneer je kind moe wordt en daarop in te spelen. Met andere woorden: prikkels te vermijden en te zorgen voor een aangename slaapomgeving. Wie dat

niet doet, riskeert dat het kind 'doorgedraaid' raakt en daardoor niet in slaap valt.

2 Bijna iedereen wordt 's nachts weleens wakker. Volwassenen merken dat amper. Die draaien zich om, slapen door en weten de volgende morgen zelfs niet meer dat ze wakker geweest zijn. Maar het vermogen om meteen weer in te slapen, is niet aangeboren. Een kind leert dat tijdens de eerste maanden. Als het daar de kans voor krijgt…

3 Een pasgeborene maakt nog geen onderscheid tussen dag en nacht. Dat verschil moet hij leren. Een baby die overdag vaak en lang slaapt, is 's nachts onvermijdelijk actiever. Als je dit ritme wilt omkeren, moet je de slaaptijd overdag beperken.

Hieruit blijkt dat ouders een belangrijke taak te vervullen hebben, die ze niet mogen verwaarlozen uit misplaatste liefde voor hun kind: als ouder ben je ervoor verantwoordelijk dat je kind leert hoe je goed in slaap valt en doorslaapt. Iedere baby heeft recht op een goede nachtrust.

Rustige nachten hebben een prijs… die zichzelf terugbetaalt

Hoe kun je deze verantwoordelijkheid opnemen? Voornamelijk door ze niet voor je uit te schuiven. Laat je kind overdag maximaal drie uur achter elkaar slapen. Na hoogstens drie uur maak je je kind wakker om hem de borst of de fles te geven. 's Nachts laat je de baby daarentegen zo lang slapen als hij zelf wil.

Bepaal na welke maaltijd de nacht officieel begint. Dat kan en moet in het begin best laat zijn, bijvoorbeeld rond 22 of 23 uur. Na deze maaltijd leg je de baby op de plaats waar hij de nacht zal doorbrengen.

Voer vanaf het begin een slaapritueel in. Doe de baby bijvoorbeeld een slaappakje aan. Kijk eventueel nog even met hem uit het raam. Laat een muziekdoosje spelen en leg je kind in bed.

Leg je kind altijd wakker in bed. Zo weet hij dat dit de plaats is waar hij in slaap moet vallen. Als je met hem rondloopt tot hij in slaap valt, dan leert hij: mama's arm is de plaats waar ik altijd in slaap val. Baby's zijn dan gedesoriënteerd, onzeker en angstig als ze wakker worden op een andere plaats dan waar ze in slaap gevallen zijn.

Probeer niet de slaapplaats van je kind helemaal geluids- en lichtdicht te maken. Zorg liever dat er wat geluiden en gedempt licht zijn. De eerste weken zijn baby's toch niet zo gevoelig voor geluid en licht. En zo vermijd je dat de baby op den duur alleen nog in totale duisternis en stilte kan slapen.

Aanvaard gewoon dat je kind vermoedelijk in het begin even huilt. Dat huilen betekent niet: ik ben ongelukkig en moet opgepakt worden. Het betekent wel: ik ben moe en wil met rust gelaten worden.

Maar in plaats van dat ook te doen en alle prikkels te vermijden, schieten veel ouders juist in actie. Ze halen het kind uit bed, wiegen het of wandelen er in looppas mee rond. En dat zijn dan nog de onschadelijke varianten. Heel geliefd is de kangoeroebal, waar de moeder of de vader met de baby in de armen op gaat zitten en naar hartenlust rondspringt. Op een gegeven moment valt de baby – godzijdank – van vermoeidheid in slaap. En de moeder wrijft over haar pijnlijke rug.

Doe vooral zo weinig mogelijk. Zo krijg je speling in wat je kunt doen. Dat kan zo gaan: eerst wachten, dan de kamer ingaan, weer wachten, een fopspeen geven, wachten, tegen de baby praten, wachten, de baby strelen, wachten, de baby in je armen wiegen, wachten, de baby ronddragen, wachten, de baby eten geven.

Je kunt hier nog een aantal activiteiten aan toevoegen, maar in het belang van de baby mag je hier niet te ver in gaan. Als je dus de eerste keer dat hij huilt meteen met de maximumreactie begint, ontneem je de baby de kans om zelf tot rust te komen. En zo voer je een gewoonte in die je baby iedere keer van je zal eisen. Duizenden ouders zijn er op die manier in geslaagd hun baby zo ver te krijgen dat hij alleen nog in een rijdende auto in slaap kan vallen.

Vaak willen baby's overtollige energie kwijtraken door te huilen, omdat ze anders niet kunnen slapen. Hard aan een fopspeen zuigen heeft hetzelfde effect. Het huilen kan dus vaak met een fopspeen ingekort worden. Maar dan loop je het risico dat de baby zijn fopspeen kwijt is als hij wakker wordt en pas door wil slapen als hij die terug heeft.

Als je baby huilt als hij gaat slapen, ga dan naar een plaats waar je hem niet kunt horen. Een huilende baby maakt iedereen zwak en doet de beste voornemens vervagen (meer daarover in het hoofdstuk 'Huilen en jengelen'). Neem een horloge mee en ga – zo lang hij huilt – om de vijf minuten terug naar je baby. Praat met hem, aai hem over zijn wang, geef hem eventueel een fopspeen – en ga dan weer naar buiten.

Geef niet op. Hou jezelf heel duidelijk voor dat huilen nu eenmaal bij het slapen hoort, vooral als de baby moe is. Het is normaal als hij huilt, even stil is en dan weer begint. Wetenschappers hebben vastgesteld dat dit zich meestal drie keer herhaalt, tot het kind uiteindelijk in slaap valt.

Haal je baby alleen uit bed als je denkt dat het echt niet anders kan. Loop er niet mee rond, maar hou hem gewoon in je armen tot hij rustig wordt. En leg hem dan meteen terug.

Als je baby 's nachts wakker wordt, kun je beter even afwachten. Misschien maakt hij gewoon een paar kleine babygeluidjes en valt hij na een tijdje vanzelf weer in slaap. Geef hem daar de kans voor en stoor hem niet. Zolang hij niet huilt, moet je hem 's nachts met rust laten. Dat heeft ook te maken met respect voor je kind. Als je hem echt als een persoonlijkheid ziet, met zijn eigen sterke en zwakke punten, zul je niet altijd meteen aan komen rennen en meteen in willen grijpen.

Je baby huilt en de laatste maaltijd is nog geen twee uur geleden? Dan overbrug je de tijd tot de volgende maaltijd zoals je dat doet bij het slapengaan. Als er meer dan twee uur voorbij zijn, kun je je baby tijdens de eerste weken een maaltijd geven. Geef je kind 's nachts alleen een schone luier als dat echt nodig is.

Zodra je kind vijf kilo weegt, moet je proberen de nachtelijke maaltijden uit te stellen door hem te troosten.

Als je je vanaf de eerste dag aan de **EasyBaby**-methode houdt, slaapt je kind waarschijnlijk vanaf vier maanden door. Bovendien verschuift de tijd waarop hij in slaap valt vermoedelijk naar voren. Als je bijvoorbeeld om 19 en 23 uur borstvoeding geeft, zul je merken dat de baby de voeding van 23 uur steeds vaker overslaat. Dan wordt het tijd om het slaapritueel te vervroegen, ongeveer tussen 19 en 21 uur. Plan deze tijd zo dat hij ook in je eigen dagelijkse schema past.

Terwijl het doorslapen meestal goed gaat als de baby er eenmaal mee vertrouwd is, blijft in slaap vallen zo nu en dan moeilijker gaan. Waarschijnlijk heeft je baby gedurende kortere of langere periodes problemen om in slaap te vallen. In je eigen belang, maar nog meer in het belang van je kind geldt: maak geen uitzonderingen. Wees consequent en kijk op de klok: na tien tot vijftien minuten is de crisis meestal bedwongen. In tegenstelling tot oudere kinderen heeft een baby er niets aan om langer op te blijven – ook al lijkt hij heel tevreden. Want baby's hebben eerst en vooral een betrouwbare routine nodig. Deze routine is vooral belangrijk als er iets niet helemaal loopt zoals het zou moeten. Als ze bijvoorbeeld tandjes krijgen of ergens anders moeten slapen. Dat kan voor baby's even moeilijk zijn en dan reageren ze vaak met problemen om in slaap te vallen. Help de baby door deze crisis heen, maar niet door de rest van de routine overboord te gooien, maar er juist op terug te vallen. Zo heeft je baby iets waar hij zich in moeilijke tijden aan vast kan houden.

Het **EasyBaby-**slaapprogramma geeft jou en je baby al heel snel iets zeer waardevols, namelijk ongestoorde nachtrust. Maar het vraagt ook wat, namelijk flexibiliteit

Veel moeders vinden het tijdens het eerste jaar heel handig om hun baby overal mee naartoe te nemen. 'De kleine slaapt eigenlijk overal. En als hij onrustig wordt, geef ik hem te drinken', zeggen deze moeders. Maar het zijn ook deze moeders die tijdens het eerste jaar nooit eens een nacht rustig kunnen doorslapen.

Besef goed dat je het niet allebei kunt hebben. Je moet kiezen: flexibiliteit of rustige nachten. Het is bijna een afspraak met je baby: je baby respecteert jouw nachtrust en jij respecteert zijn behoefte aan slaap. Deze behoefte is bij alle baby's hetzelfde. Baby's willen het liefst altijd op dezelfde tijd en op dezelfde plaats slapen. Ze hebben een hekel aan afwisseling en reageren op een verstoorde routine met een slecht humeur, huilbuien en onrustige nachten.

Natuurlijk kun je wel op vakantie gaan met je baby. Maar doe jezelf en je kind een plezier en probeer tegen het avondeten op je plaats van bestemming te zijn. Neem zijn speelgoedje en een reisbedje mee. Kortom: blijf zo dicht mogelijk bij de slaaproutine die hij thuis kent.

Het **EasyBaby**-slaapprogramma is efficiënt en gemakkelijk te begrijpen. Maar: het is niet gemakkelijk vol te houden, want het is een aanslag op wat wij het moederinstinct noemen (zie hiervoor het hoofdstuk 'Het moederinstinct'). Dat instinct zegt: laat die baby niet alleen, hij huilt, dat betekent dat hij je nodig heeft.

En dat instinct klopt ook. Natuurlijk heeft de baby ons nodig. Maar hij heeft ons niet nodig om hem uit zijn slaap te houden, maar om hem te leren vlot in slaap te vallen.

Hou jezelf dus voor dat je helemaal geen slechte moeder bent als je je baby laat huilen. Hou jezelf voor dat je een goede moeder bent als je je baby de kans geeft 's avonds zo snel mogelijk en op een rustige manier in slaap te vallen.

Je kunt toch niet vermijden dat de baby huilt. Je kunt het alleen maar uitstellen. Je zult toch wel willen dat je kind op een bepaald moment in slaap valt. Misschien omdat het de volgende dag naar de crèche moet. Dan zul je de strijd om het slapengaan op dat moment moeten leveren. Huilen hoort nu eenmaal bij het leven – en bij het leren slapen. Maar het gaat ook over.

De meeste moeders beginnen pas met een gestructureerd slaapprogramma als de druk na maandenlang slecht slapen groot genoeg wordt. Want alleen deze druk geeft de moeders de volharding die nodig is om zo'n programma vol te houden. Een moeder die dan pas optreedt, is geen slechte moeder. Maar ze is zeker ook geen betere moeder dan degene die het vanaf het begin goed doen.

EasyBaby-regel nr. 40: Baby's kunnen niet uit zichzelf in slaap vallen en doorslapen. Dat moeten ze eerst leren – van ons.

EasyBaby-regel nr. 41: Baby's die huilen als ze gaan slapen, vragen niet om aandacht maar om rust.

EasyBaby-regel nr. 42: Rustige nachten hebben hun prijs: je baby kan het beste elke dag op hetzelfde moment en op dezelfde plaats slapen.

EasyBaby-regel nr. 43: De strijd om de baby te laten doorslapen kan heel zwaar zijn. Beschouw je inspanningen als een investering, die al na een paar weken rendement oplevert. Je moet er hoe dan ook doorheen – vroeg of laat.

Huilen en jengelen:
Hoe beter de moeder, hoe vrolijker het kind?

Er zijn waarschijnlijk weinig dingen die de zenuwen van volwassenen zo op de proef stellen als het gehuil van een baby. Wie een baby lang hoort huilen, ondergaat een heel scala onaangename emoties. De beste daarvan zijn nog medelijden en het verlangen om te helpen. Die gevoelens worden snel opgevolgd door hulpeloosheid en een mateloze twijfel, die op den duur in woede en haat kan omslaan. Een huilende baby brengt bijna alle ouders wel een keer bij hun grens.

Hoe komt dat eigenlijk? Blijkbaar hoort huilen bij baby's, net als eten en slapen. Je zou dus eerder ongerust moeten zijn als je eigen kind nooit huilt. En toch proberen we tegen elke prijs te vermijden dat de baby huilt.

Ja maar, zeg je, huilen is toch altijd een teken dat er iets niet goed gaat met de baby. Dus daar moeten we iets aan doen. Alle ouders willen toch dat het goed gaat met hun kind. Natuurlijk, en dat is ook een verstandige wens.

Ook de baby van supermama huilt – godzijdank

Er zit nog iets anders achter de wens om de baby stil te krijgen. Namelijk de angst dat je iets verkeerd gedaan hebt. Als we betere ouders zouden zijn, zou ons kind vast minder huilen, fluistert een stemmetje diep van binnen. En dus zien we het huilen en jengelen van de baby als een verwijt, zelfs als een aanval op onze persoon. Dat verklaart ook waarom hulpeloosheid en medelijden zo snel en zo vaak omslaan in woede. Nu doe ik alles voor je en jij blijft maar huilen. Dat is niet eerlijk!

Klopt. Hoe je ook je best doet, je zult niet kunnen verhinderen dat het weleens slecht gaat met je baby. Zijn humeur is nu eenmaal geen graadmeter voor jouw kwaliteiten als moeder. Je kunt supermama in persoon zijn, ook dan zal je baby nog regelmatig huilen en jengelen. En als dat niet zo is, moet je je pas echt zorgen gaan maken. Het menselijke bestaan omvat nu eenmaal de hele bandbreedte van alle denkbare emoties. Wie al die emoties niet beleeft heeft geen geluk, maar is integendeel zwaar gehandicapt.

Onze hersenen zijn zo ingesteld dat bepaalde delen toegewezen zijn aan bepaalde gevoelens. Soms wordt een aantal van deze delen onherstelbaar verstoord, bijvoorbeeld door een beroerte. Patiënten die een beroerte gehad hebben waarbij één van deze delen verstoord is, lijden onder zware depressies en kennen geen geluksgevoelens meer. Als de beroerte de rechterhersenhelft treft, kan het omgekeerde gebeuren: deze mensen voelen geen negatieve emoties meer. Ze zijn nooit verdrietig, vertwijfeld of woedend.

Geef maar toe: zo'n zonnige instelling zou je snel beu worden, omdat je intuïtief zou aanvoelen dat deze mensen een belangrijk deel missen van een normaal en zelfstandig leven. Ze hebben bijvoorbeeld niet langer het vermogen om situaties goed in te schatten en er gepast op te reageren. Zo iemand kan niet overleven zonder hulp.

De wetenschapsauteur Stefan Klein, die vooraanstaande hersenonderzoekers geïnterviewd heeft, stelt vast: 'Geluk en ongeluk zijn leermeesters waarmee de natuur ons opvoedt. Positieve gevoelens vertellen ons wat we moeten doen, negatieve zeggen wat we niet moeten doen.' Als we deze wegwijzers niet hebben, dan zwalken we rond zonder richting of kompas.

Een eeuwig goed humeur is dus geen garantie dat je baby zich optimaal ontwikkelt en is zeker niet het bewijs dat de ouders alles goed doen. De emotionele toestand van je baby maakt deel uit van de persoonlijkheid waarmee hij geboren is. Als zijn linkerhersenhelft sterker ontwikkeld is, heb je een echt zondagskind. Heeft hij een sterkere rechterhersenhelft, dan zal hij het moeilijker hebben in het leven.

De Amerikaanse neuropsycholoog Richard Davidson heeft dit onevenwicht tussen de beide hersenhelften aangetoond bij baby's van tien weken oud. Zuigelingen bij wie de hersenstromen rechts het actiefst waren, begonnen te huilen zodra hun moeder de kamer uitging. De baby's met de dominante linker hersenhelft huilden duidelijk minder en keken geïnteresseerd rond.

David Lykken, een Amerikaanse professor in de psychologie, vatte het resultaat van een grote studie met tweelingen als volgt samen: 'Wellicht zijn alle pogingen om gelukkiger te worden evengoed gedoemd te mislukken als de pogingen om groter te worden.' Als dat klopt, geldt dat natuurlijk ook voor alle pogingen om onze kinderen gelukkiger te maken. Elke baby heeft recht op goede gevoelens. Maar hij heeft ook recht op negatieve gevoelens, op een slecht humeur en op verdriet. Hij heeft deze ervaringen nodig om te kunnen leren, om te groeien.

De **EasyBaby**-methode gaat uit van het volgende principe: probeer niet de natuur te verbeteren door je kind tegen elke prijs te willen beschermen tegen negatieve gevoelens. Aanvaard dat huilen bij het dagelijkse leven hoort voor baby's. Je baby mag huilen. Hij kan en moet daarbij geen rekening houden met jouw gevoelens.

Alle mensen hebben de neiging alles in eerste instantie op zichzelf te betrekken. Waarschijnlijk weten ze uit talloze andere situaties dat dit meestal verkeerd is. Je baas wordt niet boos op je omdat je echt niet goed bent in je werk, maar omdat hij zelf een slecht humeur heeft.

Ook bij kinderen is het een grote vergissing om elke uiting van de baby op jezelf te betrekken. Dan vind je jezelf te belangrijk. Je baby jengelt niet om jou te ergeren. Hij huilt niet om jou verwijten te maken. En hij krijst niet om jou tot zijn slaaf te maken. Hij doet dat omdat hij dat moet doen, omdat hij dat nodig heeft, om te groeien en te leren.

'Die vaststelling was voor mij een doorslaggevende ervaring',

zegt Freja. 'Maar om tot deze vaststelling te komen, had ik eerst een gesprek met een therapeute nodig. Ik heb twee zonen van acht en anderhalf jaar. Toen Tom een jaar werd, werd het me allemaal te veel. Ik had het gevoel dat ik thuis opgesloten zat met twee tirannen die zich vast voorgenomen hadden mijn leven tot een hel te maken. De kleinste huilde bijna elke minuut dat ik hem niet in mijn armen had. En de grootste deed niets, maar dan ook helemaal niets, zonder dat ik het hem drie keer gevraagd had. Ik weet dat het belachelijk klinkt, maar mij leek het echt alsof de broers samenspanden tegen mij.

Ik vond ze allebei zo oneerlijk. Het ging zo ver dat ik niet alleen regelmatig schreeuwde tegen Lucas, de oudste, maar zelfs tegen de baby. Ik dacht: waarom doet hij mij dat aan? En het ergste was als er andere mensen bij waren. Ik voelde me te kijk gezet door mijn slecht opgevoede kinderen.

De therapeute heeft me doen inzien dat mijn gevoelens het probleem waren en niet Toms gehuil. Als ik zijn gehuil niet als verwijt, geklaag of verraad zag, verdween het probleem opeens. Toen was er opeens alleen nog maar een huilende baby, maar geen levend verwijt meer. En dat kon ik wel aan.'

Freja's ervaring is natuurlijk extreem. Maar ze toont wel heel goed de vicieuze cirkel waarin je terechtkomt als je het gehuil van je baby gaat beschouwen als een oordeel over jou.

Als je met paniek reageert op het gehuil van je baby, is dat niet alleen slecht voor jezelf en je relatie met je kind, maar belemmer je ook zijn ontwikkeling. Want wat gebeurt er als je tot elke prijs wilt vermijden dat hij huilt?

Zodra je baby een piep geeft, maak je daar een probleem van. Je controleert zijn luier. Je geeft hem drinken. Je geeft hem een fopspeen. Een rammelaar. Een knuffel. Je zingt een liedje. Je draagt hem. Kortom: je zegt je baby op alle mogelijke manieren: stop meteen met huilen. Ik raak in paniek van jou.

Wat leert de baby daarvan?

1 Hij leert dat hij iets verkeerd doet. Dat het niet goed is als hij huilt. Dat hij niet mag zijn zoals hij nu is.

2 De baby vergeet bij heel dit circus de oorspronkelijke reden waarom hij huilde. Zo krijgt hij dus geen kans om van deze situatie te leren.

3 Hij krijgt niet de kans om in te zien dat hij misschien zelf iets aan zijn ongeluk kan veranderen. Hij kent niet het geluk zichzelf uit een moeilijke situatie te redden – doordat hij bijvoorbeeld leert zelf weer in slaap te vallen. Of op zijn duim te zuigen of zich om te draaien. Ongeluk is volgens Stefan Klein een leermeester. Misschien moest onze baby nu leren om zich van zijn buik op zijn rug te draaien.

4 Je baby leert wellicht niet zelfstandig in slaap te vallen, maar hij leert dat huilen een soort afstandsbediening voor mama is. Aangezien hij zichzelf in het begin toch al niet ziet als een wezentje dat losstaat van zijn moeder, is het voor de baby hetzelfde als wanneer hij leert hoe hij zijn voet kan bewegen: mijn voet beweegt door mijn spieren te gebruiken, mijn mama door te huilen. Tijdens de eerste weken maakt je baby geen verschil tussen jou en zijn voet. En opeens heeft zijn gehuil iets met jou als moeder te maken. Dat was niet zo gepland. Jij hebt je baby op dat idee gebracht.

Het zevenpuntenprogramma

Huilen is voor een baby ook een vorm van communiceren, en misschien wel de belangrijkste. Het is in ieder geval de efficiëntste. Als je baby huilt, wil hij je iets zeggen. De boodschap is: 'Ik voel me niet helemaal goed, omdat...'

Is de boodschap: 'Ik voel me niet goed, omdat ik niet in slaap val' of '... omdat ik in een slecht humeur ben', dan is het voor de baby het beste als je hem zijn eigen ervaringen op laat doen. Maar is de boodschap: 'Ik voel me niet goed, omdat ik honger heb' of '... omdat mijn luier nat is', dan moet je natuurlijk wel iets doen. Dat zijn situaties die je baby onmogelijk zelf op kan lossen.

Hoe kun je nu weten wat je kind precies bedoelt? Je moet eerst en vooral zeker weten dat je niet je eigen behoeften en die van je baby door elkaar haalt. Als je verschillende moeders observeert, zie je namelijk dat ons ego bij onze pogingen om te begrijpen waarom onze baby huilt in veel gevallen behoorlijk in de weg kan zitten. Het klassieke voorbeeld is de ijverige moeder die bij elk piepje meteen reageert door de baby eten te geven. Een hypochondrische moeder vermoedt dan weer bij elke huilbui dat haar baby zwaar ziek is.

Probeer dus afstand te nemen van je eigen behoeften en aanvaard de mogelijkheid dat je baby misschien wel iets heel anders wil zeggen. Veel volwassenen zouden er trouwens heel wat voor over hebben als iemand gewoon wil luisteren en niet meteen probeert te troosten als er iets is. Zij gaan daarvoor naar een therapeut.

Volgens de **EasyBaby**-methode reageer je op een huilbui met de volgende stappen:

1 Blijf vooral kalm en kijk en luister voornamelijk. Je baby zal niet sterven. Hij wil je gewoon iets zeggen in een taal die je nog moet leren te verstaan. Neem dus de tijd om je kind te verstaan in plaats van paniekerig te reageren. Want als je baby huilt, voelt hij een of andere vorm van stress. Verhoog die stress niet door nodeloos actie te nemen. Of door meteen te doen alsof je weet wat er aan de hand is. De meest geliefde methode om de baby stil te krijgen is door hem meteen de borst te geven. Maar wat leer je je kind op die manier? Dat eten de oplossing is voor elk probleem?

2 Als je de **EasyBaby**-methode volgt voor de voedingen, weet je met één blik op de klok of honger de reden van de tranen is. Is de laatste maaltijd minder dan twee uur geleden, dan kun je honger meteen uitsluiten. Is het langer dan vier uur geleden, dan weet je bijna zeker dat hij honger heeft. Als je je hier aan houdt, weet je zeker dat je de baby ook niet te veel eten geeft. Want te veel eten kan ook een reden zijn om te huilen. Bovendien is het een oorzaak van krampen, die dan weer hevige huilbuien veroorzaken.

3 Controleer zijn luier en voel of hij het warm of koud heeft. Je voelt zijn temperatuur het best in zijn nekje. Hij zou daar aangenaam moeten aanvoelen. De meeste moeders hebben eerder de neiging hun baby te warm dan te koud te kleden.

4 Heeft de baby zich misschien pijn gedaan of is hij ziek? Het kan natuurlijk, maar toch is dat maar zelden de reden voor een huilbui. Wondjes zie je meestal meteen; ziekte gaat over het algemeen gepaard met andere symptomen (bijvoorbeeld koorts, diarree of gebrek aan eetlust). Als hij pijn heeft, klinkt zijn gehuil meestal heel hoog en schril. Als je kind een paar dagen lang uren per dag huilt zonder dat je hem kunt kalmeren, moet je meteen een arts opzoeken – en niet wachten tot er meer klachten opduiken.

5 Als je deze factoren uitgesloten hebt en je kind hebt laten voelen dat het niet alleen op de wereld is, heb je alles gedaan wat binnen je mogelijkheden ligt. Je zult dan moeten aanvaarden dat je kind het recht heeft om eens hard en lang te huilen. En dan moet je hem met rust laten. Voor baby's is huilen een manier om spanningen af te reageren en prikkels van buitenaf buiten te sluiten. Help je kind daarbij door prikkels zoals licht en geluid te beperken. Streel je huilende baby nog even en laat hem dan alleen.

6 Hoe hou je dat vol, zonder gek te worden? Door op je horloge te kijken. Het gehuil van een baby verstoort je gevoel voor tijd namelijk grondig. Elke minuut die je baby huilt, voelt even lang aan als een minuut met je blote billen op gloeiende kolen. Bepaal hoe lang je hem laat huilen. Overschat jezelf niet. Twee minuten zijn in het begin al een hele opgave.

7 Als die tijd verstreken is, ga je weer naar hem toe, zodat hij ziet dat je er nog altijd bent. Praat even tegen hem en streel hem. Als hij niet kalmer wordt, ga je weer weg. Misschien lukt het je de tweede keer om drie minuten te wachten. Normaal duurt het niet langer dan een kwartier voordat hij rustig wordt. Vaak gebeurt dat omdat hij in slaap valt. Want in de meeste gevallen huilt een baby omdat hij moe en/of te veel geprikkeld is.

Een belangrijke tip: folter jezelf niet door naar je huilende baby te blijven luisteren. Je baby heeft daar hoegenaamd niets aan en het leidt er alleen maar toe dat je gefrustreerd raakt en het **EasyBaby-**programma niet volhoudt. Ga naar een andere kamer en zet de babyfoon niet aan. Natuurlijk moet je jezelf er eerst van vergewissen dat je baby zich op geen enkele manier pijn kan doen.

Overdag is er nog een andere mogelijkheid die je kunt proberen. Soms is je baby namelijk gewoon toe aan verandering. Het is vaak genoeg om hem een beetje frisse lucht te geven. En andere mensen kunnen vaak wonderen doen. Hele legers moeders hebben al verbijsterd toegekeken hoe het jengelende kind 's avonds als papa thuiskomt opeens verandert in een zonnestraaltje.

'Ik was soms zo verschrikkelijk kwaad op Ralf',

zegt Sylvie. 'Als ik weer eens een hele dag met een jengelende Sofie gezeten had, stapte hij 's avonds de deur door en riep: "Waar is mijn kleine prinses" en onze dochter werd van de ene seconde op de andere de schattigste baby op aarde.'

Die stemmingswisseling heeft niets te maken met ondankbaarheid of betekent niet dat papa beter met de kleine overweg kan. Het is gewoon de prikkel van het nieuwe. Dat geldt ook voor een vriendin, de oma, de buurvrouw of andere kinderen. Veel moeders leven het eerste jaar heel geïsoleerd met hun kind en brengen heel wat lange uren samen in huis door. Dat dit soms eens een beetje te veel wordt, is toch geen wonder dan? En dat geldt evengoed voor de baby als voor de moeder.

EasyBaby-regel nr. 44: Of je baby veel of weinig huilt, zegt niets over je kwaliteiten als moeder. Het is een kwestie van persoonlijkheid. Ook supermama's hebben huilbaby's.

EasyBaby-regel nr. 45: Iedere baby heeft recht op positieve en negatieve gevoelens, op geluk en verdriet. Hij moet het allemaal ervaren om groot te worden en hij houdt daarbij geen rekening met jouw gevoelens.

EasyBaby-regel nr. 46: Als je tegen elke prijs wilt vermijden dat je baby huilt of jengelt, belemmer je hem in zijn ontwikkeling. Dat je eigen leven daardoor een hel wordt, is alleen maar een nevenwerking.

EasyBaby-regel nr. 47: Als een baby huilt, wil hij wat zeggen. Het eerste deel van de boodschap is: 'Ik voel me niet goed, want...' Sta open voor het tweede deel van de boodschap en trek geen voorbarige conclusies.

EasyBaby-regel nr. 48: Sluit alle oorzaken uit waaraan jij iets kunt veranderen en de baby zelf niet. Geef je baby dan de kans om zelf tot rust te komen. Hou op je horloge in de gaten hoe lang hij huilt. De gevoelsmatige duur is oneindig veel langer dan de werkelijke duur.

EasyBaby-regel nr. 49: Soms heeft de baby – en jijzelf – gewoon behoefte aan verandering van omgeving. Een beetje frisse lucht en een ander gezicht kunnen de stemming meteen doen omslaan.

Leren:
Je kunt niet voorkomen dat je kind zich ontwikkelt

Vooral bij het eerste kind trekken ouders alle registers open: babyzwemmen, babymassage, sociale training; veel baby's – en hun moeders – hebben een overvolle agenda.

Als al deze oefeningen op jonge leeftijd een zichtbaar nut zouden hebben, zou er een opvallend verschil moeten zijn tussen eerstgeborenen en de volgende kinderen. Want dit volle programma is voor een tweede kind gewoon niet vol te houden.

De moeder-olympiade

Sylvie heeft bij haar tweede kind alles anders gedaan:

'Met Anton heb ik het hele programma afgewerkt. Dat is eigenlijk gewoon zo gelopen. Een aantal moeders van de zwangerschapsgym wilden babygymnastiek doen. En ik heb gewoon meegedaan. Bij de babymassage leer je dan weer mensen kennen die nog iets anders doen. En dan probeer je dat ook en leer je weer andere mensen kennen die ook weer iets leuks aanbevelen. Ik vond het meestal leuk, maar ik was vooral ook blij dat ik onder de mensen kon komen en een paar vaste afspraken had.

Maar ik merkte ook dat er een soort concurrentie ontstond onder de moeders. Je wilt niet achterblijven. En je moet heel sterk in je schoenen staan om te kunnen zeggen: nee, dat doe ik nu niet. Zeker als je eigen kind niet zo snel is en overal een beetje meer tijd voor nodig heeft.

Ik geloof dat het Anton geen kwaad gedaan heeft. Maar met Sofie was het rustiger. Ik had gewoon geen tijd om aldoor te vergelijken of ze dit of dat al kon.

Toen Anton naar school ging, ben ik met Sofie naar een speelgroep gegaan, omdat ik ook wel iets helemaal voor haar alleen wou doen. Voor de rest is ze in vergelijking met Anton niet speciaal gestimuleerd. En toch heeft ze alles geleerd: kruipen, lopen en praten.'

Je kunt je niet voorstellen dat zulke belangrijke dingen gewoon vanzelf komen. En toch is het zo. Onder normale omstandigheden bloeit een bloem zonder hulp en kan een veulen zonder zetje lopen. En onder normale omstandigheden leert een kind vanzelf lopen en praten. Dat is genetisch vastgelegd, of je het nu wilt of niet. Het zou vermoedelijk heel moeilijk zijn om te verhinderen dat je kind leert spreken.

Alles wat we met al onze stimulansen bereiken, is dat de natuurlijke ontwikkeling sneller verloopt. Baby's van wie de spraakontwikkeling gericht bevorderd wordt, leren gemiddeld één tot twee jaar vroeger praten dan kinderen in culturen waar niet met kinderen gepraat wordt (zulke culturen bestaan echt). Maar – en dat is bepalend – ze leren allemaal praten. En uiteindelijk allemaal even goed.

Het is de moeite om eens over de volgende vraag na te denken:

Welk voordeel heeft een kind als het bepaalde vaardigheden sneller ontwikkelt?

Hebben we niet heel erg weinig respect voor onze kinderen als we hun ontwikkeling tegen elke prijs willen versnellen?

En heeft kennis die een kind zelf verworven heeft niet een heel andere betekenis dan kennis die het gevolg is van intensieve stimulansen?

Hoe je deze vragen ook beantwoordt, het is duidelijk dat intensieve stimulatie tijdens de eerste levensjaren zeker niet nodig is. Als je je kind niet belemmert, zal het leren kruipen, lopen en praten. Net als het vanzelf tandjes krijgt. Hij heeft alleen een omgeving nodig waarin hij zijn vaardigheden kan ontwikkelen.

Midas Dekkers heeft als bioloog een totaal onsentimentele blik geworpen op kinderen en volwassenen. Vanuit dit standpunt is een baby net zoiets als een rups waar later een vlinder uit tevoorschijn zal komen. En biologen zien in een rups geen half ontwikkelde vlinder, maar een perfecte rups. Voor biologen is het dus geen wonder dat de meeste rupsen geen haast hebben om vlinders te worden.

Dekkers zegt: 'Voor een baby geldt hetzelfde. Een baby is niet zo goed als mens, maar wel een goede baby; net zoals jij een goed mens maar een beroerde baby bent. Het is gewoon een kwestie van perspectief. Vanuit ons gezichtspunt moet de baby net zo worden als wij. Maar dat kan een baby bitter weinig schelen. Net als een volwassen mens niet al te veel moeite zal doen om zo snel mogelijk te sterven, heeft een baby ook geen haast om een volwassen mens te worden.'

Moet je dan helemaal niets doen met je baby? Natuurlijk wel. Doe gewoon waar je zin in hebt. Maar alleen als je er zin in hebt. Voel je tot niets verplicht, zeker niet voor je kind. Je kind heeft niets aan de speelgroep als deze afspraak alleen maar stress geeft. Maar als je er graag naartoe gaat en je elke week verheugt op deze afspraak – fantastisch, ga dan zeker.

Let wel op één ding: laat je niet onder druk zetten. Jezelf niet en je kind niet. Als je met een slecht humeur of bezorgd terugkomt van je afspraak omdat de andere kinderen al verder zitten in hun ontwikkeling, gaat er iets mis. Als je met je kind zitten, staan en kruipen begint te oefenen zodat je wat kunt laten zien in de speelgroep, is het niet leuk meer.

Want wat betekent het als je wilt dat je kind kan kruipen voordat het daar aan toe is? Dat je niet tevreden bent met je kind zoals het is. De boodschap die je hem dan geeft, is: je bent niet zoals je zou moeten zijn. En je had je toch vast voorgenomen dat je niet zo'n moeder wou zijn? Maar je denkt aldoor: het is toch voor zijn eigen bestwil en je stelt geschrokken vast dat je nu klinkt zoals je eigen oma.

Laat je niet misleiden! Tijdens het eerste levensjaar leg je de basis voor je relatie met je kind. Vandaag probeer je hem te overtuigen om te kruipen en morgen om tegen elke prijs zijn diploma te halen.

Maar ik wil ook dat mijn kind zijn diploma haalt, denk je nu wellicht. Verstandig. Maar wil je dat echt tegen elke prijs? Tenslotte gaat het er bij motivatie toch om hoe je het kind ziet. Zie ik mijn kind als een mens die alleen maar dingen kan bereiken als ik hem daartoe aanzet? Dan staan je inderdaad zware en stressvolle jaren te wachten.

De gouden medaille voor (zelf)vertrouwen

Betekent dit dat je beter alles maar op zijn beloop kunt laten? Je nergens mee bemoeien, niet helpen of, beter gezegd, stimuleren? Het betekent in ieder geval dat je je inspanningen aanzienlijk kunt beperken en de **EasyBaby**-methode in gedachten moet houden.

EasyBaby betekent minder doen om meer te hebben. In dit geval betekent dat minder ingrijpen en stimuleren en meer respect voor ons kind. Meer respect en tegelijkertijd meer vertrouwen in zijn vermogen om zijn eigen, misschien betere, manieren te vinden om zijn weg te zoeken in het leven.

We kunnen per slot van rekening niet zeker weten wanneer voor ons kind het punt gekomen is om een nieuwe vaardigheid te ontwikkelen. Als hij laat begint te kruipen, is daar wellicht een reden voor. Misschien heeft hij die tijd nodig om iets anders te ontwikkelen dat wij niet aan de buitenkant kunnen zien.

De Amerikaanse kindertherapeute Magda Gerber zegt:

'Je kind respecteren betekent dat je vertrouwt op zijn capaciteiten en hem niet ziet als een hulpeloos wezen, maar eerder als iemand die op sommige punten van jou afhankelijk is. Je kind respecteren betekent een kleine afstand houden en hem niet storen in zijn ervaringen met het leven.'

Minder doen betekent zeker niet dat je helemaal niets doet. Ook als je je kind niet aldoor schitterende nieuwe dingen bijbrengt, heb je heel belangrijke taken. Vooral de beide onderstaande opdrachten:

1 Zorg voor een aangepaste, veilige omgeving waarin je kind zelfstandig van alles uit kan proberen zonder zich pijn te doen (daarover meer in het hoofdstuk 'Een kindvriendelijk huis').
2 Stel grenzen en leg duidelijke regels vast, want je kind is tenslotte niet alleen op de wereld. Hoe je in deze wereld leeft is iets dat je – in tegenstelling tot lopen en praten – niet vanzelf leert. Dat moet jij hem leren. Hij moet bijvoorbeeld weten dat hij geen wortelpap op je meubelen (en vooral de meubelen van andere mensen) mag smeren en dat hij andere kinderen geen pijn mag doen.

Minder doen is niet zo gemakkelijk als het misschien op het eerste gezicht lijkt. Het is zelfs ontzettend moeilijk. Niet alleen omdat je daardoor onherroepelijk je plaats in de moeder-olympiade kwijt bent, maar ook omdat het vaak veel geduld, rechtlijnigheid en sterke zenuwen vraagt.

Brigitte beschrijft hoe het is als je niet aldoor tussenbeide komt:
'Mijn dochter Anna begint bijna te kruipen. Met veel enthousiasme gooit ze haar speelgoed in het rond en is dan kwaad omdat ze het niet zelf kan gaan halen. Als ik haar spullen ga halen, kijkt ze er maar even naar en verliest dan haar interesse. Maar als ik dat niet doe en haar gehuil en gejengel volhoud, komt ze vaak op het idee om zelf door rollen bij haar speelgoed te komen. Als dat haar lukt, is het prachtig om te zien hoe trots ze op zichzelf is. Maar het is moeilijk om het zo lang vol te houden. Enerzijds word ik nervous van haar gejengel en anderzijds vind ik het moeilijk om te zien dat ze zich zo hard moet inspannen.'

We bewijzen onze kinderen geen dienst als we ze moeite en moeilijkheden besparen. We nemen ze dan belangrijke ervaringen en een groot geluksgevoel af. Het gevoel iets gepresteerd te hebben.
Dertig jaar geleden hebben wetenschappers al een interessant experiment gedaan met drie maanden oude zuigelingen. De baby's lagen in een bed waar een mobile boven hing. Maar de mobile werd aan het gezicht onttrokken door een scherm en werd pas zichtbaar als er achter het scherm een lamp ging branden. Die lamp ging aan als de baby's hun hoofd opzij legden. De kleintjes hadden de truc heel snel door en wachtten vol spanning tot het licht aanging. Maar de helft van de baby's kon het licht niet zelf aandoen (zij hadden geen schakelaar). De mobile boven hun hoofd was altijd alleen maar zichtbaar als de baby's met de schakelaar onder hun hoofd het licht aandeden. Ook deze baby's vonden de mobile in het begin leuk, maar ze verloren al snel hun belangstelling.
De onderzoekers kwamen tot de conclusie dat het niet de mobile was die de baby's blij maakte, maar het feit dat ze zelf iets konden doen. Zelfs de allerkleinsten zijn dus blijkbaar al trots op hun prestaties.
De Zwitserse ontwikkelingspsycholoog Jean Piaget was van mening dat we onze kinderen belangrijke ervaringen afnemen als we ze te veel stimuleren. Hij stelde vast: 'Iedere keer als we een kind iets aanleren, ontnemen we hem de mogelijkheid om het zelf te leren.'
Het belangrijkste dat je een kind kunt leren, is dus onafhankelijk te worden en vertrouwen te krijgen in zijn eigen capaciteiten. Maar dat bereik

je niet door hem voortdurend te stimuleren of aldoor met hem bezig te zijn. Integendeel: een baby die de hele tijd beziggehouden wordt, verliest de – aangeboren – vaardigheid om zichzelf bezig te houden en zelf dingen te leren. En dat is juist het grote probleem waar kinderen in geciviliseerde landen tegenwoordig mee te kampen hebben.

Elke dag horen we hoe ouders, opvoeders en leraren klagen dat onze kinderen nergens meer echt belangstelling voor hebben en zich niet meer echt kunnen concentreren. Dat is niet per definitie een teken van te veel tv. Vaak nemen ouders de foutieve taak op zich die de tv in andere gezinnen heeft: ononderbroken entertainment van de kinderen.

En ook hier geldt weer: wie denkt dat de tijd dat wel zal oplossen, heeft het mis. Wie zijn baby een fulltime programma aanbiedt, kan niet verwachten dat het kind zichzelf als het groter wordt perfect bezig kan houden. Dit is een punt waarop het zeker de moeite loont om het kind gericht te stimuleren: ondersteun zijn onafhankelijkheid, leer hem zichzelf bezig te houden en genoeg te hebben aan zichzelf. Daar hoef je niet veel voor te doen. Je moet – inderdaad! – minder doen:

- Ook een kleine baby kun je op een veilige plek een tijdje alleen laten. Zeker als je binnen roepafstand blijft of als je een babyfoon hebt. Zolang hij zich niet zelf op zijn buik kan draaien, moet je hem altijd op zijn rug leggen. Dat is niet alleen de veiligste slaaphouding, maar zo heeft je baby ook maximale bewegingsvrijheid en ziet hij het meest.
- Dring de baby geen speelgoed op, maar wacht af of hij niet liever met zijn vingers speelt of gewoon tevreden rondkijkt in de kamer.
- Als de baby ouder en beweeglijker wordt, kun je speelgoed binnen handbereik voor hem neerleggen en hem zelf laten kiezen of hij ermee wil spelen. Laat ook een oudere baby weer zo nu en dan even alleen – maar natuurlijk alleen op een plaats die helemaal veilig is.

Op die manier kweek je goede gewoonten. Je kind krijgt de kans om zichzelf bezig te houden. En hij leert dat een – tijdelijke – scheiding van mama geen ramp is, want hij ziet vanaf het begin dat je altijd terugkomt, dat hij niet alleen is, ook als je even niet bij hem bent. Hij leert dat gescheiden zijn niet hetzelfde is als verlaten zijn.

Stap af van de gedachte dat alleen zijn negatief is. Alle mensen hebben regelmatig tijd voor zichzelf alleen nodig. Dat geldt ook al voor baby's en zeker ook voor moeders.

Als je je kind voorstelt als volwassene, zou het dan niet prachtig zijn als je dan een mens zag met vertrouwen in zijn eigen vaardigheden? Een mens die zich niet eenzaam voelt als hij een keer alleen is, en die zich niet verveelt omdat hij geleerd heeft om zichzelf bezig te houden?

Denk je niet dat zo'n volwassene gelukkiger is dan iemand van wie gezegd wordt dat hij met negen maanden kon lopen en al hele zinnen zei toen hij amper een jaar was? Lopen en praten leert ieder kind vanzelf wel. Maar bij de ontwikkeling van zelfvertrouwen en innerlijke rust kunnen en moeten ouders wel degelijk helpen.

Kies zelf: wil je een baby die zo snel mogelijk mama zegt? Of wil je een baby met veel zelfvertrouwen? Vaak heb je het allebei. Maar dat is dan een cadeau – en niet het resultaat van jouw inspanningen.

EasyBaby-regel nr. 50: Als je hem niet zwaar belemmert, zal je kind leren kruipen, lopen en praten. Vroeg of laat. In zijn eigen ritme.

EasyBaby-regel nr. 51: Zorg voor een veilige omgeving waarin je kind alleen kan zijn zonder zich te bezeren.

EasyBaby-regel nr. 52: Hoe meer je je kind zelf laat ontdekken, hoe meer zelfvertrouwen hij krijgt. Als jij je kind en zijn mogelijkheden niet vertrouwt, hoe kan hij dan zichzelf vertrouwen?

EasyBaby-regel nr. 53: Je kind weet hoe hij leert lopen, maar hij weet niet welke regels er in onze maatschappij gelden. Dat moet jij hem leren. Jij bent zijn navigatiesysteem op deze planeet.

Een kindvriendelijk huis –
Twee aparte delen voor de lieve vrede

Over wat een kindvriendelijk huis is, bestaan er in grote lijnen twee opvattingen, die je allebei even ongelukkig kunnen maken.

De ene theorie zegt dat je je kind zo weinig mogelijk beperkingen op moet leggen, hem zo veel mogelijk vrijheid moet geven. Hij zal later nog genoeg geconfronteerd worden met grenzen en verboden, vinden deze mensen. Bovendien is een kruipertje nog veel te klein om een onderscheid te maken tussen goed en slecht. En is het nu zo erg om een paar jaar geen kamerplanten en mooie meubelen te hebben?

Ouders van de andere strekking zeggen dan weer: geen sprake van dat wij onze leren bank wegdoen en onze prachtige muziekinstallatie in een kast wegstoppen. Het is hier geen speeltuin maar ons huis waarin wij ons als ouders ook goed moeten voelen. En hoe vroeger kinderen leren om zich te gedragen, hoe beter.

De kinderruimte: vrijplaats voor je baby

Onze grootouders losten dat probleem op, maar hun oplossing is in de vergetelheid geraakt. Ze hadden namelijk kamers met een verschillende functie en waarde. De kinderen hadden vaak een speelkamer waarin er bijna geen verboden waren. Dan was er de keuken, waar strenge regels golden. Deze regels werden niet opgesomd, maar door ervaring aangeleerd. De meeste opa's en oma's waren van mening dat ieder kind zich een keer aan de stoof moest verbranden. Zo leerden ze dat ze daar af moesten blijven.

En dan was er bij onze grootouders natuurlijk nog de zogenaamde 'goede kamer', een soort meubelmuseum, dat alleen met Kerstmis en andere feesten gebruikt werd. Wie zich hier niet kon gedragen, werd eruit gezet. Heel snel en zonder rekening te houden met de leeftijd.

Bij ons is er tegenwoordig meestal geen onderscheid meer tussen de leef-ruimte en de 'goede kamer'. Toch kunnen we wel wat leren van dit mo-del, want ook in moderne huizen kun je verschillende zones invoeren. Daarmee maak je het leven voor jezelf en voor je kind een stuk gemak-kelijker.

De **EasyBaby-methode** deelt het huis in twee zones in: een heel veilige, kindgerichte zone waarin je kind ook zonder toezicht niets kan overko-men en waar hij niets kapot kan maken – en waar hij naar hartenlust tekeer kan gaan. De rest van het huis is nog wel veilig, maar daar gelden regels waar het kind zich aan moet houden.

De opdeling in twee zones sluit heel goed aan bij de verschillende ont-wikkelingsfasen van je kind. Je legt je kind niet te veel geboden en ver-boden op die hij nog niet kan begrijpen. Maar tegelijkertijd zijn er ook mogelijkheden om geleidelijk de regels van de samenleving te leren.

De methode met twee zones ontziet jouw zenuwen en helpt je zo om een ontspannen moeder te zijn. Als je kind in de kinderzone is, kun je hem met een gerust hart even alleen laten.

Zo wordt dit ook een zone zonder 'gezeur'. Zolang je kind daar speelt, hoef je niet: 'Nee, afblijven!' te roepen of: 'Je weet toch dat je dat niet mag doen!' Dat is heel rustgevend. Want één van de verschrikkelijkste ontdekkingen die je als jonge moeder kunt doen, is de vaststelling dat je precies hetzelfde klinkt als je eigen moeder.

Hoe kleiner je baby is, hoe kleiner de kinderzone kan zijn. Aangezien baby's de eerste weken bijna niet bewegen, is een plaats om te slapen voldoende, bijvoorbeeld een wieg of een hoge box.

EasyBaby raadt in ieder geval aan om vanaf het begin een box neer te zetten. Je kunt je baby daar meteen op een deken inleggen. Gebruik ze-ker een box met een verstelbare bodem. Zo lang je kind zich niet rechtop kan trekken, gebruik je de hoogste stand. Zo spaar je je rug en ziet je kind meer.

Als je de box vanaf de eerste dag gebruikt, voelt je baby zich daarin met-een veilig en geborgen. Ook als hij al groter is, zal hij er dan nog graag in willen spelen, want hij kent die plek en voelt zich er goed. Maar veel ouders kopen pas een box als het kind al kan kruipen en zelfs lopen.

Wie zijn kind zo laat nog aan een box wil laten wennen, strijdt vaak een harde strijd. Het kind voelt zich in de box dan namelijk opgesloten en weggeduwd.

Als je kind kan kruipen, is een gewone box meestal niet meer genoeg. Hij heeft dan meer beweging nodig en dus ook meer ruimte. Je kunt de box dan nog gebruiken als je de baby bijvoorbeeld bij jou in de keuken of op het terras wilt zetten.

De grotere kinderzone kan een deel van de woonkamer zijn of een aparte ruimte. De ruimte moet wel een beetje centraal liggen, zodat je kind altijd binnen gehoorsafstand is en je het wellicht ook kunt zien. Als je beneden woont, is het dus niet handig om de kinderzone op de eerste verdieping te maken. Als je buiten gehoorsafstand van de kinderzone komt, is een babyfoon een goede oplossing.

Het is belangrijk dat deze ruimte absoluut veilig is. Alle stopcontacten, raamknoppen, laden en deuren moeten natuurlijk beveiligd worden. Pas ook op dat je kind geen gordijnen los kan trekken, meubels om kan gooien, niet in kabels of snoeren verstrikt kan raken, niet kan vallen en niets in kan slikken.

Stel je voor dat je door tegenslag verschillende uren buitengesloten bent. Als er dan niets anders met je kind kan gebeuren dan dat het zich alleen en verlaten voelt, is de zone veilig genoeg.

En ga niet uit van wat je kind nu kan. Je moet hem op het vlak van veiligheid altijd een stapje voor zijn. Verwacht het onverwachte. Als je kind zich in jouw aanwezigheid met moeite op zijn buik kan draaien, weet je niet wanneer hij voor het eerst zelf weer op zijn rug rolt en zich zo kan verplaatsen. Wees erop voorbereid dat kinderen veel nieuwe vaardigheden 's nachts ontwikkelen.

De kinderruimte moet dus veel vrije ruimte hebben op de grond. Die heeft je kind nodig om te rollen en te kruipen. De vloer moet natuurlijk schoon zijn. Idealiter is het een ruimte waarin nooit schoenen gedragen worden.

Nu denk je wellicht: de kinderruimte is wel praktisch, maar voelt mijn kind zich daar niet buitengesloten? Is het niet afgrijselijk om een kind gewoon weg te organiseren, zodat hij niet in de weg zit?

Wie zo denkt, heeft de kinderzone niet goed begrepen. Ten eerste is je kind daar maar tijdelijk alleen, maar meestal met jou samen. Ten tweede heeft de kinderkamer niets te maken met wegstoppen, maar wel met respect. Respect voor de behoeften en de vaardigheden van een klein kind. Een klein kind stelt nu eenmaal andere eisen aan zijn omgeving dan een volwassene. Het begint er al mee dat zijn bewegingsruimte anders is dan die van ons. Vervolgens kan hij zelf geen risico's inschatten. En we mogen ook niet vergeten dat hij nog niet half zo groot is als wij en voornamelijk op de vloer leeft.

De volwassenenzone: trainingsruimte voor het echte leven

Maar waarom dan niet het hele huis uitroepen tot kinderzone? Afgezien van het feit dat dit niet mogelijk is – je wilt vermoedelijk blijven koken, baden en tv kijken – zou dat ook niet in het belang van het kind zijn.

Je kind moet zich vroeg of laat aan de wereld van de volwassenen aanpassen. En dat moet iemand hem leren. Daarom is het goed om van je huis geen kinderreservaat te maken, maar een tweede zone te hebben waarin de volwassenen leven. Een zone waarin je kind voorzichtig en gedoseerd kan leren hoe je in deze wereld leeft.

De tweede zone – de rest van het huis dus – moet natuurlijk ook veilig zijn. Ook hier mag je kind geen giftige vloeistoffen kunnen drinken en moet je zorgen dat hij niet van de trap kan vallen. In deze zone mag je je kind weliswaar nooit alleen laten, maar hij moet wel veilig zijn, want ook de meest alerte mens is weleens een paar seconden met zijn gedachten ergens anders.

Maar in deze zone mogen er wel regels en verboden zijn, bijvoorbeeld laden die niet open mogen. Zorg wel dat er niet te veel regels zijn. Je moet elke regel namelijk wekenlang oefenen. En dat kan heel vermoeiend zijn.

Als je kind een regel overtreedt, zeg je luid en duidelijk: 'Nee!' Haal het kind dan weg bij datgene wat hij deed. Als hij er telkens weer naartoe kruipt, kun je hem het beste naar de kinderzone brengen.

Zo leert je kind langzaam maar zeker wat een verbod is en aan welke regels hij zich moet houden. Het mooie van de methode met twee zones is dat je geen strijd aan hoeft te gaan met je kind. Op momenten dat jouw nee niet helpt, kun je het conflict gewoon oplossen door het kind in de kinderzone te laten spelen. Op een ander moment is hij misschien gewilliger om te leren.

Hoe kleiner de baby is, hoe moeilijker hij het heeft met regels. Hou jezelf voor dat je kind je daarmee niet wil ergeren, hoewel dat soms zo lijkt. Het is geen kwaad opzet en het is niet persoonlijk bedoeld. Een regel begrijpen en er zich dan aan houden is voor een baby een intellectueel hoogstandje. Geef hem de tijd – en verlies je geduld niet.

Als je voldoende plaats hebt, kun je ook nog een derde zone invoeren: één waar je kind absoluut niet mag komen. Dat is jouw eigen terrein, een plaats die van jou alleen is en waar geen beveiligingen nodig zijn. Dat is een luxe, geen vraag. Maar wie zegt dat mama alle luxe op moet geven?

EasyBaby-regel nr. 54: Verdeel je huis in twee zones: de kinderzone en de rest van het huis.

EasyBaby-regel nr. 55: De kinderzone moet helemaal veilig zijn. Zo veilig dat je kind daar theoretisch urenlang alleen zou kunnen blijven zonder dat hem iets overkomt.

EasyBaby-regel nr. 56: Ook de tweede zone moet veilig zijn. Toch gelden er hier verboden en regels die je kind moet leren. De tweede zone is het oefenterrein voor de 'buitenwereld'.

EasyBaby-regel nr. 57: Als je kind een paar keer geen nee aanvaardt, breng je hem naar de kinderzone. Een andere keer zal hij misschien gemakkelijker leren.

Het dagelijks leven organiseren –
Ritme in plaats van chaos

Alle kinderen houden van orde, en zeker baby's. Ze verlangen naar een ritme, zijn gek op herhalingen en continuïteit. Hoe minder er gebeurt, hoe beter.

Het grootste probleem voor baby's is niet verveling, maar te veel afwisseling. Natuurlijk willen ze uitdagingen en hebben ze daar ook behoefte aan, maar ontzettend veel kleine dingen die wij allang niet meer merken, zijn voor een baby hele gebeurtenissen: de schilderijen aan de muur, muziek op de radio, het fluiten van de vogels, de verschillende materialen waar dingen van gemaakt zijn. Voor baby's is de wereld spannend en afwisselend – zonder dat er grootse dingen hoeven te gebeuren. Vaak is het zelfs te spannend en afwisselend.

Babysecretariaat: maak afspraken voor je baby

Het is jouw taak om alle impulsen te doseren en te organiseren. Zo geef je de baby een rustige overgang naar onze hectische wereld.

Aangezien voor een baby elk detail zo veel aandacht vraagt, moet hij kunnen vertrouwen op de grote dingen in zijn kleine leven. Hij moet een ritme voelen onder al die verwarrende dingen. Dit ritme creëer je door bepaalde dingen altijd op hetzelfde moment en indien mogelijk ook op dezelfde plaats te doen.

Een goed georganiseerd dagritme ontstaat niet vanzelf, daar moet je aan werken. Veel moeders denken dat ze doen wat hun kind wil als ze de dag maar op zijn beloop laten. Het tegendeel is waar. Het is voor een baby te zwaar om een dagritme te creëren, dat kan hij niet zelf. Hij kan niet zelf over zijn dag beslissen, hij wil zich vol vertrouwen in een geplande dag laten rollen.

De steunpilaren van een babydag zijn de eet- en slaaptijden. Meer daarover vind je in de hoofdstukken 'Etenstijd' en 'Doorslapen'. Daar zeiden we al dat de maaltijden op vaste tijden gegeven moeten worden en indien mogelijk ook op dezelfde plaats.

Slapen loopt in het begin wat flexibeler. Het basisprincipe is: hoe meer en hoe vaker je baby slaapt, hoe minder belangrijk het is waar hij slaapt. De eerste maanden zal hij waarschijnlijk vaak in zijn reiswieg of in de kinderwagen slapen. Het maakt hem dan niet uit of die wieg in een rijdende auto staat of thuis in de box.

Als het kind groter is en nog een lang middagslaapje doet, maakt een vaste slaapplaats het leven zeker eenvoudiger. Je kind slaapt duidelijk sneller – en jij hebt minder stress.

Als de baby wakker is en geen eten, bad of schone luier moet krijgen, zou hij één of twee vaste plaatsen moeten hebben waar hij veilig op zijn rug kan liggen en – afhankelijk van zijn mogelijkheden – kan spelen. Deze plaats moet absoluut veilig zijn, zodat je de baby daar ook weleens alleen kunt laten. En dat moet je ook doen. Geef je baby regelmatig de kans om zichzelf bezig te houden en de wereld te ontdekken. Herinner je één van de grondprincipes van **EasyBaby**: je bent geen entertainer voor je kind, maar zijn moeder. En je kind heeft recht om gewoon eens alleen te zijn en te spelen.

Die veilige plaats kan een deken op de vloer in de kamer zijn of een box in de keuken of op het terras. Zo heeft je kind genoeg bewegingsvrijheid om te leren hoe hij zich om moet draaien en moet verplaatsen (meer daarover in het hoofdstuk 'Een kindvriendelijk huis').

Hoe kleiner je kind is, hoe minder speelgoed hij nodig heeft. Maar ook als hij een paar maanden oud is, mag er nooit een berg spullen liggen. Probeer zijn speelgoed te beperken tot een overzichtelijke hoeveelheid dingen waar hij gemakkelijk uit kan kiezen.

Eten, spelen, slapen – altijd op dezelfde tijd en indien mogelijk op dezelfde plaats: dat klinkt meer als stress dan als ontspanning. Als je uitgaat van vijf maaltijden, twee slaapjes overdag en de nachtrust, heb je zonder speeltijd al acht afspraken per dag! Dan kom je toch tot niets meer, zeg je wellicht.

Maar zo erg is het gelukkig niet als je eenmaal aan het vaste dagschema gewend bent.

Een typische dag voor een vijf maanden oude baby kan er bijvoorbeeld zo uitzien:

* Rond 7.00 uur borst/fles

* Rond 10.30 uur borst/fles
* Daarna slapen tot 13.00 uur

* Rond 14.00 borst/fles

* Rond 15.30 uur tot rond 17.00 uur slapen
* Daarna borst/fles

* Rond 20.00 uur borst/fles
* Daarna begint de nacht

Aangezien drinken en slapen elkaar opvolgen, heb je in dit voorbeeld niet acht maar vijf afspraken.

Twee daarvan – opstaan en naar bed gaan – gebeuren in ieder geval thuis. Dan zijn er dus nog drie afspraken waarvoor je idealiter thuis of minstens op een rustige plaats moet zijn.

De tussenperiodes kun je flexibeler invullen. Je kind hoeft echt niet altijd alleen maar thuis op zijn deken of in zijn box te zijn. Maar als hij thuis is, is het wel belangrijk dat hij zijn vaste plaats heeft. Vooral als hij nog klein is, kun je een baby gemakkelijk overal meenemen. De eerste weken geeft de kinderwagen voldoende bewegingsvrijheid en die is dan ook vaak zijn echte thuis.

Dit dagschema is natuurlijk alleen maar een voorbeeld. Voor je eigen baby kan de dag er heel anders uitzien. Misschien drinkt hij maar vier keer per dag of slaapt hij drie keer. Samen met je baby vind je zelf jullie eigen ritme. En dat ritme verandert iedere keer weer. Geleidelijk gaat je kind minder slapen. Hij wordt actiever en leert nieuwe voeding kennen. Het schema moet dus veranderingen toelaten die het gevolg zijn van de ontwikkeling van je kind – en niet van zijn humeur of van de omstandigheden.

Natuurlijk moet je je door de baby niet helemaal aan huis laten kluisteren. Je kunt hem best eens onderweg eten geven of laten slapen. Maar als je je baby volgens de **EasyBaby-methode** op wilt voeden, mag dat niet te vaak gebeuren. Het dagschema moet vooral herkenbaar blijven voor je kind.

Het vormt bijvoorbeeld geen enkel probleem als je uitgaat van een 80/20 procent verhouding: als je 80% van de tijd de vaste indeling volgt, kun je in 20% van de gevallen een uitzondering maken (zie ook het hoofdstuk 'De 80%-regel').

Hoe gemakkelijk je baby afwijkingen van het normale schema aanvaardt, hangt natuurlijk ook van zijn persoonlijkheid af: er zijn gevoelige en minder gevoelige baby's. Zodra je merkt dat je kind meer dan gewoonlijk huilt en jengelt of slecht slaapt en eet, moet je meteen weer meer rust in zijn dag brengen.

Wat gebeurt er als je dat niet doet? Wat gebeurt er als je van je baby verlangt dat hij zich aan jouw schema aanpast? Maak je geen zorgen, je kind zal het wel overleven. Maar je moet er dan wel rekening mee houden dat hij over het algemeen minder tevreden zal zijn. En je moet er ook rekening mee houden dat de onrust van overdag zich ook 's nachts vertaalt. Een oude spreuk zegt: 'Zo de dagen, zo de nachten.' Verwacht dus niet dat je baby na een heel zware dag slaapt als een blok, maar wees erop voorbereid dat de onrust van overdag ook 's nachts merkbaar zal zijn.

Rituelen en regelmaat

Zonder regelmatig dagschema heeft je baby weinig waar hij zich aan vast kan houden. De enige constante in zijn leven ben jij dan. Hoe onoverzichtelijker zijn dag dus is, hoe belangrijker jij wordt voor je kind. Je bent dan niet meer alleen zijn moeder, maar ook zijn thuis. Je bent alles tegelijk.

Dat is een situatie waar veel vrouwen volop van genieten. Het gebeurt nu eenmaal niet zo vaak in het leven dat je de zon en de maan bent in iemand anders zijn leven. Maar je betaalt ook een prijs voor deze status: je betaalt met je vrijheid en die van je kind. In plaats van meteen vanaf de eerste dag zijn zelfstandigheid en onafhankelijkheid te bevorderen, keten je hem elke dag meer aan je.

De samenhang tussen het dagelijks ritme en de afhankelijkheid van een kind van zijn verzorger is trouwens één van de redenen waarom in crèches zo'n doorgedreven ritme gevolgd wordt. Dat maakt niet alleen de organisatie gemakkelijker, maar het maakt de kinderen ook minder afhankelijk van één verzorgster. Als die verzorgster eens ziek is of met vakantie gaat, stort zijn wereld niet meteen in. Hij blijft in zijn vertrouwde omgeving. Dat geeft zekerheid en rust.

Aangezien geen enkele moeder er altijd wil en kan zijn voor haar kind, doet ze er goed aan een wereld te creëren die ook zonder haar kan blijven bestaan. Deze wereld is een goede planning. De zekerheid die je kind daar uithaalt, kan hij dan gebruiken om op andere mensen te vertrouwen. Op zijn vader, zijn oma of de oppasmoeder bijvoorbeeld. Hoe regelmatiger zijn schema is, hoe gemakkelijker je kind andere mensen toelaat in zijn leven. En hoe gemakkelijker het voor anderen is om in het leven van je kind te komen.

Bij een goed dagritme horen ook rituelen. Slaaprituelen zijn het bekendst, bijvoorbeeld voorlezen en zingen. Maar je kunt overal rituelen invoeren. Je kunt bij het verschonen van zijn luier altijd een bepaald liedje zingen. Of je voert voor een ouder kind een ritueel in voor als hij thuiskomt: eerst zijn jas ophangen, dan zijn schoenen uitdoen en wegzetten en dan de kat begroeten.

Als je die dingen iedere keer in dezelfde volgorde en op dezelfde manier doet, maak je het leven voor je kind voorspelbaar. Dat geeft hem de zekerheid die hij nodig heeft en het wordt ook gemakkelijker bepaalde regels te aanvaarden.

Tijdens het tweede levensjaar merk je hoe veel je kind van rituelen houdt. Zodra ze een beetje kunnen praten, vinden ze het prachtig andere mensen te herinneren aan de rituelen.

Anja's dochter Charlotte houdt van rituelen:

'We hebben voor bijna alles onze eigen rituelen. 's Morgens drinkt Charlotte bij ons in bed een flesje melk en kijken we samen in een boekje. 's Avonds mag ze na het eten nog tien minuten spelen. Dan ruimen we samen op en zoeken we een fopspeen uit voor 's nachts. Ze staat op deze volgorde. Als ik een keer niet op wil ruimen omdat het al laat is, zegt ze gegarandeerd: "Eerst opruimen!" Dan hebben we nog een klein ritueel voor de avonden waarop de babysit komt. Charlotte en ik gaan samen naar de kelder en halen een fles Cola. Alleen de babysit drinkt dat bij ons. Vorige keer stond er een fles Cola in de keuken. Charlotte was helemaal opgewonden, wees op de fles en vroeg: "Janka?" Voor haar was het heel duidelijk: als er Cola in de keuken staat, komt Janka oppassen.'

Bijna even belangrijk als een goed georganiseerde dag is een rustige, vredige omgeving. Je hebt waarschijnlijk zelf al gemerkt dat je omgeving een directe invloed heeft op je humeur. Bijna niemand kan in een lawaaierige, chaotische omgeving echt ontspannen. Aan de andere kant zorgt een opgeruimde, gezellige kamer ervoor dat gestreste mensen zich ontspannen.

Voor je baby geldt hetzelfde. Hoe kleiner hij is, hoe beperkter zijn gezichtsveld. Hij herkent de chaos in de keuken misschien niet, maar hij voelt wel de onopgeruimde sfeer. Al was het maar dat jij je eigen spanning doorgeeft aan je baby.

Een babyvriendelijke omgeving creëer je in eerste instantie door de prikkels te beperken. Liever weinig speelgoed dan te veel. Liever zachte klanken en gedempt licht dan felle kleuren. Liever een vaste plaats voor de belangrijkste dingen dan een onoverzichtelijke chaos. Liever langzame, kalme bewegingen dan snel en hectisch gedoe.

Natuurlijk is dat niet altijd gemakkelijk waar te maken. Vooral de eerste weken met de baby zijn vaak zo overweldigend, dat je geen tijd of energie hebt om voor orde in huis te zorgen. Bijna alle specialisten gaan ervan uit dat je dan beter even niet te nauw kunt kijken en je op de baby moet concentreren, niet op het huishouden. Stralende kinderogen zijn belangrijker dan een stralende vloer. Wie kan dat tegenspreken?

Anderszijds is orde juist in stressvolle omstandigheden belangrijk. Want chaos vreet energie. Juist als je gestrest en gespannen bent, heb je behoefte aan een aangename omgeving. Een huilende baby is gemakkelijker te verdragen als er geen berg afwas op het aanrecht staat.

Alexandra heeft vat op de chaos gekregen

'De eerste weken met Lena was ik een karikatuur van een moeder. 's Morgens kwam ik er amper toe om te douchen en vaak liep ik 's middags nog in mijn badjas rond. De stapel was groeide, ik leefde op yoghurt, fruit en chocolade, in huis ging het van kwaad naar erger. Ergens voelde ik wel dat het juist deze chaos was waar ik nerveus van werd en niet kleine Lena. Samen met mijn man bekeek ik hoe we ons leven weer op de rails konden krijgen.

We besloten om drie grote veranderingen door te voeren: Jan gaat 's morgens een half uur later naar kantoor zodat ik tijd heb om in bad te gaan. Verder hebben we een afwasmachine en een droger gekocht. Maar het belangrijkste was dat ik besloot om niet meer constant bij onze dochter te zijn. Tot op de dag van vandaag vind ik het moeilijk om haar alleen te laten. Maar ik doe het wel. Als ik iets aan het doen ben en zij begint te jengelen, maak ik eerst af waar ik mee bezig was. Dat klinkt eenvoudig, maar voor mij was het een reusachtige verandering.'

Orde betekent niet dat alles er constant uit moet zien alsof je schoonouders elk moment binnen kunnen komen. Het gaat niet om perfect gestreken theedoeken of glanzend gepoetst zilveren bestek. Bij **EasyBaby** gaat het om een gezellige en rustige sfeer. Het gaat er vooral om dat jij je goed moet kunnen voelen in huis.

Als het heel veel inspanningen vraagt om dit doel te bereiken, kan het de moeite waard zijn om eens na te denken of je het huis niet anders kunt organiseren. Vaak helpt het om afscheid te nemen van dingen, minder spullen te hebben die opgeruimd moeten worden. Dat begint bij speelgoed en kinderkleding en gaat tot decoratie.

EasyBaby is de kunst om minder te doen. En op dit punt is het ook de kunst om minder te hebben. Laat niet toe dat allerlei spullen de omgeving van je kind verstoren.

Zowel voor een goede dagplanning als voor een georganiseerde omgeving voor je kind geldt: je hoeft niet alles zelf te doen. Het gaat er niet om dat jij een georganiseerde dag doorbrengt met je baby, maar dat je baby een georganiseerde dag heeft. Dat kan ook in een crèche of bij een oppasmoeder zijn.

Zelfs als je heel goed georganiseerd bent, zullen er altijd omstandigheden zijn waardoor het normale ritme verstoord wordt. Je verhuist, je gaat op vakantie – of je kind wordt ziek. En dat is ook allemaal in orde. Dat hoort nu eenmaal allemaal bij het leven – en bij **EasyBaby** gaat het er niet om je kind voor het leven af te schermen.

Let er gewoon op dat je tijdens deze uitzonderingen toch zo veel mogelijk elementen van het normale leven behoudt. Stel, je bent op vakantie en je kind moet zich in de nieuwe omgeving aanpassen. Dan is de verleiding groot om meteen een paar regels overboord te gooien.

EasyBaby raadt aan dat juist niet te doen. Je maakt het leven voor je kind niet gemakkelijker met deze 'toegeeflijkheden', maar juist moeilijker. Juist als er belangrijke dingen gebeuren in het leven van je kind, heeft hij meer behoefte om zich vast te houden aan wat hij kent – ook al lijkt dat op het eerste gezicht vaak niet zo.

Probeer zo veel mogelijk van zijn leefwereld thuis over te brengen naar de nieuwe omgeving. Hou je aan de normale eet- en slaaptijden en gooi de kleine rituelen niet overboord. Neem vertrouwde dingen mee: zijn eigen slaapzak, zijn knuffel of een muziekdoosje.

Zodra de uitzonderingssituatie voorbij is, moet je snel en consequent teruggaan naar het oorspronkelijke ritme. Dat is bijvoorbeeld na een ziekte niet altijd gemakkelijk. Vaak moet je een ziek kind een paar keer per nacht uit bed halen, troosten of drinken geven. Je kind zal zich verzetten als je hem deze privileges weer afneemt. Hou rekening met één of twee onrustige nachten waarin je consequent moet blijven. Je kind heeft het recht om te protesteren, maar ook om zo snel mogelijk weer naar zijn vertrouwde ritme terug te gaan. En daar moet jij hem bij helpen. Liefdevol, maar consequent.

EasyBaby-regel nr. 58: Kinderen houden van orde en duidelijke regels. Ze hebben ritme en continuïteit nodig.

EasyBaby-regel nr. 59: Het grootste probleem voor baby's is niet verveling, maar te veel afwisseling. Het is jouw taak om alle prikkels te doseren en te organiseren.

EasyBaby-regel nr. 60: Een regelmatig programma ontstaat niet vanzelf, maar moet gepland worden.

EasyBaby-regel nr. 61: Eten, spelen, slapen – alle activiteiten moeten op dezelfde tijd en op dezelfde plaats gebeuren. Het kind moet het schema kunnen herkennen.

EasyBaby-regel nr. 62: Vuistregel: als je je 80% aan het vaste schema houdt, kun je 20% uitzonderingen maken.

EasyBaby-regel nr. 63: Zo de dagen, zo de nachten: na een hectische dag volgt vaak een onrustige nacht.

EasyBaby-regel nr. 64: Hoe onoverzichtelijker het dagelijkse schema is, hoe afhankelijker het kind van jou wordt. Hoe regelmatiger het schema, hoe gemakkelijker het kind andere mensen toelaat.

EasyBaby-regel nr. 65: Chaos vreet energie. Schep voor jezelf en voor je kind een sfeer die gezelligheid en rust uitstraalt. Laat niet toe dat te veel dingen de omgeving van je kind verstoren.

EasyBaby-regel nr. 66: Doe in uitzonderlijke omstandigheden geen 'concessies', maar hou je zo veel mogelijk aan de elementen van het vertrouwde schema. Zodra de uitzondering voorbij is, ga je snel en consequent terug naar het normale schema.

De 80%-regel –
Je moet ook fouten mogen maken

Hoe meer ontspannen jij bent, hoe beter het met je baby gaat. Deze vaststelling is één van de basisprincipes van **EasyBaby**. Maar iedereen heeft zo zijn eigen stressfactoren waar hij of zij sterk op reageert. De ene persoon raakt gespannen als er te veel mensen zijn, de andere heeft het moeilijk als hij te veel alleen is.

Er is ook een stressfactor die zonder uitzondering bij iedereen en in elke situatie werkt. Dat is perfectionisme. Wie perfect wil zijn, raakt automatisch gestrest. Perfectionisme en ontspannen sluiten elkaar uit, net als dag en nacht.

Marathonlopers hebben een reserve nodig

Dat is precies de verklaring waarom zo veel moeders gestrest zijn. Er is namelijk geen enkel ander terrein waarop we gevoeliger zijn voor perfectionisme dan wanneer het om onze kinderen gaat.

Als we op ons werk een fout maken, zeggen we: dat gebeurt, we zijn immers allemaal mensen. Als er in het huishouden iets misloopt of wanneer we onze beste vrienden verwaarlozen, dan denken we meestal: zo is het leven nu eenmaal. Je kunt gewoonweg niet op elk moment en in elke situatie perfect zijn.

Maar als het over kinderen gaat, denken we niet zo. Kinderen moeten perfect verzorgd, gevoed, opgevoed en gestimuleerd worden. Hier staan we onszelf niet het minste missertje toe. Het gaat toch om een mensenleven waar wij verantwoordelijk voor zijn. Opeens is het niet meer voldoende om de mens te zijn die we normaal zijn. Met al onze talenten, maar ook met onze zwakheden. Opeens willen we helemaal zonder fouten zijn. Ons kind moet geen doorsnee moeder hebben, maar de allerbeste.

Opgepast, perfectie in zicht!

Nicole was vroeger altijd nonchalant en onbekommerd. Toen ze moeder werd, ontdekte ze een heel nieuwe kant van zichzelf:

'Ik was altijd een het-maakt-niet-zoveel-uit type. Dat veroorzaakt op mijn werk – ik ben graficus – vaak ergernis. Maar ik ben nu eenmaal de vrouw met de goede creatieve ideeën. Als het op details aankomt, verlies ik snel mijn interesse en mijn overzicht. Dat vond ik ook helemaal niet erg. Ik wilde niet zo'n pietepeuterige krentenweger zijn.

Met Hanna had ik die nonchalance niet. Zelfs al tijdens de zwangerschap dacht ik aldoor: het mag niet mislopen, nu mag ik geen fouten maken. Toen ik Hanna voor het eerst in mijn armen hield, was ik dolblij, maar tegelijkertijd woog de verantwoordelijkheid zwaar op me. Ik heb mezelf vanaf het begin sterk onder druk gezet. Hanna moest het zo goed mogelijk hebben. Ik liet haar nooit alleen, droeg haar het eerste jaar bijna aldoor bij me. Als ze dan toch huilde, was dat een soort kritiek: je doet iets verkeerd, je bent niet goed genoeg als moeder.

En het ergste was: niemand wist van mijn twijfels. Mijn moeder niet, mijn vriendinnen niet en na een paar maanden zelfs mijn man niet meer. Hij bleef gewoon langer op kantoor. Hoewel ik zo bang was om fouten te maken, kwam ik niet op het idee dat ik daarmee iets verkeerd deed. Ik dacht eerder: ik moet nog meer doen. Het was als in de grap over de chauffeur die op de radio een waarschuwing hoort over een spookrijder en denkt: een spookrijder? Er rijden hier honderden auto's aan de verkeerde kant.

Nu, met een afstandsperiode van vier jaar en een tweede kind, weet ik dat ik toen een echte ramp was. Voor mijn omgeving, maar ook voor Hanna. Ik stond voortdurend op het randje van een zenuwinzinking. Maar ik kon toch gewoon niet loslaten, ik kon mijn dochter ook niet aan iemand anders toevertrouwen. Want ik wist dat niemand voor haar zorgde zoals ik dat deed.'

Het vermogen om fouten te accepteren maakt deel uit van een ontspannen omgang met je kind. Je moet aanvaarden dat er weleens iets verkeerd loopt. Je moet inzien dat je je baby niet voor alles kunt behoeden.

Dat is echt niet gemakkelijk, maar het is wel de enige manier als je je verstand niet kwijt wilt raken. En je hebt hoe dan ook geen keuze. Hoe je ook je best doet, hoezeer je ook perfect probeert te zijn, er zullen altijd dingen mislopen, want perfectie bestaat gewoonweg niet. Perfectie is een concept, geen realiteit.

De **EasyBaby**-regel zegt dan ook: vergeet de 100%, maar ga voor 80%. Deze regel heeft twee kanten: de input en de output. Input is alles wat je doet. Je inzet voor de baby, de tijd die je aan hem spendeert, je opvoedingsstijl, enzovoort. Output is het resultaat, dus het welzijn van het kind. Hoe tevreden hij is, hoe goed opgevoed, hoe slim, hoe gezond.

Om aan de kant van de output het perfectionisme overboord te gooien, moet je aanvaarden dat je baby niet alleen braaf en gelukkig is, maar vaak ook ongelukkig en ontevreden.

Ja goed, geen probleem, denk je nu. Ik ben namelijk niet zo naïef dat ik ervan uitga dat mijn baby altijd gelukkig is. Echt waar? En wat doe je als je baby ontevreden is? Zeg je dan echt: dat gebeurt nu eenmaal? Of probeer je meteen alles te doen wat je kunt om de situatie zo snel mogelijk te veranderen?

Maar laten we eens naar de input-kant kijken, datgene wat je voor je baby doet. Ook hier zegt **EasyBaby** dat je de 100% op moet geven en niet meer tot de grens moet gaan.

Dat klinkt zo negatief, te veel als een slechte moeder? Je kunt het ook anders zien. Want wie niet het maximum doet, heeft iets heel belangrijks, namelijk reserve.

Als we ervan uitgaan dat je erin slaagt je inzet voor je baby te beperken tot 80%, hoe zou je je dan voelen? En vergeet nu even het slechte geweten waar je ongetwijfeld meteen aan denkt.

Je zou je waarschijnlijk rustig en zeker voelen, want je hoeft niet meer bang te zijn dat de situatie slechter kan worden. Want daarvoor heb je nog die reserve.

Een praktisch voorbeeld: je baby voelt zich niet goed en jengelt. Als 100% moeder trek je alle registers open. Je rust niet voordat je baby zich weer goed voelt.

Maar wat doe je als de situatie achteruit gaat? Als je baby ook nog zijn hoofd stoot of flink ziek wordt? Je hebt geen keuze. Dan moet je precies hetzelfde doen, want je hebt al de volledige bandbreedte van je mogelijkheden gebruikt. En op den duur moet je je inspanningen terugschroeven, want door je maximale prestaties raak je uitgeput.

Juist daarom is het belangrijk dat je je krachten doseert. Dat je niet altijd meteen 100% geeft, maar hooguit 80%. Want een kind hebben is geen sprint, maar een marathon. En een marathonloper moet in het begin aanzienlijk onder zijn mogelijkheden blijven, zodat hij nog een reserve heeft voor de rest van het traject.

Moeders zijn marathonlopers, geen sprinters. Maar ze hebben het nadeel dat ze de afstand niet kennen. Ze weten niet wanneer er een helling komt en hoe lang die zal duren. Ze moeten op alles voorbereid zijn en dus heel veel reserves hebben. Dat dwingt je ertoe ontspannen en rustig te lopen en je krachten te sparen.

Je baby is ook maar een mens

Het gevolg is dat je ook aan de output-kant met 80% tevreden moet zijn. Je moet ervan uitgaan dat je baby slechte dagen heeft en aanvaarden dat je daar met al je inspanningen weinig aan kunt doen.

Het vraagt moed om niet perfect te zijn

Aanvaarden dat je niet de beste aller moeders bent; Iris weet dat je daar veel zelfvertrouwen voor moet hebben en ook de moed om je eigen idealen en die van anderen op een lager pitje te zetten.

'Ik ben er heilig van overtuigd dat borstvoeding de beste voeding is voor een baby. En daarom was het voor mij duidelijk dat ik mijn zoon Felix minstens een half jaar de borst wou geven. Ik weet niet hoe ik me dat voorstelde, maar de borstvoeding was helemaal anders. Ik vond het verschrikkelijk onaangenaam, het deed pijn en ik voelde me uitgeput. De eerste week dacht ik nog dat ik er wel aan zou wennen. Maar dat was niet zo.

De beslissing viel mij na een maand borstvoeding heel zwaar. Ik dacht – en denk dat eigenlijk nog – dat een goede moeder onvoorwaardelijk de borst geeft. En God weet dat ik niet de enige ben die zo denkt. Maar ik kon gewoon niet meer. En zo heb ik dan de beslissing genomen om een moeder te worden die in mijn ogen niet zo goed is, maar wel ontspannen, en ben ik overgestapt op flesjes.'

De **EasyBaby**-80%-regel is eigenlijk geen regel, maar een natuurfenomeen. We krijgen toch niet meer dan 80%. Je moet immers altijd een grens trekken. En dan kun je beter zelf bepalen welke grens en laat je de beslissingen niet door oververmoeidheid uit handen nemen.

Het prachtige van kinderen is dat ze tegen heel veel stootjes kunnen. In de meest verschrikkelijke omstandigheden, bij oorlog en honger, worden er kinderen geboren en overleven ze. Sommige kinderen hebben een afgrijselijk thuis en worden toch liefdevolle volwassenen. Onder de goede omstandigheden waarin onze kinderen tegenwoordig opgevoed worden, vergeten we dat soms en denken we dat het op het kleinste detail aankomt.

Zo is het gelukkig niet. Natuurlijk is het belangrijk dat we goede, liefdevolle moeders voor onze kinderen zijn, maar het is geruststellend om te weten dat het menselijk ras een hoge foutentolerantie heeft. Het komt niet op elke kleinigheid aan, maar op de grote lijnen. Als we erin slagen om voor 80% de moeder te zijn die we willen zijn, dan hebben onze kinderen de hoofdprijs al gewonnen.

EasyBaby-regel nr. 67: Stap af van het idee dat je je kind de perfecte kindertijd wilt geven. Ga voor 80%.

EasyBaby-regel nr. 68: Ga spaarzaam om met je krachten en zet je niet altijd ten volle in. Investeer maximaal 80% van je tijd en energie, zodat je nog een reserve hebt.

EasyBaby-regel nr. 69: Aanvaard dat je geen perfecte moeder bent. Je maakt fouten – en je kind zal die fouten zonder problemen overleven.

De 110%-regel –
Onvoorwaardelijk vertrouwen

Ken je die vrouwen die als ze op restaurant gaan altijd een salade bestellen voor zichzelf en die dan de gebakken aardappelen en frieten van alle andere mensen aan tafel opeten? Vrouwen die, om hun figuur te kunnen behouden, alle grote maaltijden overslaan en alleen maar 'kleinigheidjes' tussendoor eten?

Deze vrouwen hebben zichzelf heel strenge regels opgelegd, bijvoorbeeld om alleen fruit en groente te eten of na 16 uur helemaal niets meer te eten, 's middags alleen een salade, nooit zoetigheid, enzovoort. Regels die veel strenger zijn dan wat een normaal mens aankan. En deze vrouwen kunnen zich daar in de meeste gevallen ook helemaal niet aan houden. Maar dat willen ze nu juist niet toegeven. Dus hebben ze een paar kleine extra regeltjes bedacht: sommige manieren van eten tellen ze gewoon niet mee als eten.

Volledig calorievrij is bijvoorbeeld:
- Alles wat op het bord van andere mensen ligt
- Alles wat je staand opeet
- Alles wat de kinderen laten liggen
- Alles wat je tijdens het koken eet
- Alles wat je om gezondheidsredenen eet
- En natuurlijk alles wat je rechtstreeks uit de verpakking eet

Komt dat je bekend voor? Nee? Dan hoor jij tot de weinige vrouwen die nog geen problemen hebben gehad met hun gewicht. Alle andere vrouwen hebben minstens één van deze smoezen weleens gebruikt en beter nog, zelf bedacht.

Wat jammer! We ontnemen ons op deze manier het grote genoegen dat eten kan zijn. Als we dan toch taart eten, dan het liefst geen restje, maar een perfect stuk op ons eigen bord.

Het vertrouwensdieet

Moeders gedragen zich vaak zoals vrouwen die op dieet zijn. Ze verlangen veel van zichzelf en stellen onmenselijk strenge regels op. Wie er uit wil zien als Angelina Jolie, kan zich zelfs geen klein stukje taart permitteren. En wie een gelukkig kind wil hebben, moet zichzelf ook streng onder controle houden – dingen opgeven, niet zo vaak aan zichzelf denken, zware tijden meemaken.

Vrouwen die op dieet zijn denken dat ze slanker worden als ze minder tijd aan eten spenderen. En veel moeders geloven dat hun kind gelukkiger wordt naarmate ze er meer tijd mee doorbrengen. De tijd die hij met anderen ('vreemden') doorbrengt, moet dus in ieder geval zo veel mogelijk beperkt worden.

Aangezien ook hier onze eisen aan onszelf en de werkelijkheid nogal sterk uit elkaar lopen, moeten moeders dezelfde soort smoezen verzinnen als vrouwen die op dieet zijn. Als ze vaststellen dat ze gewoon minder tijd hebben voor hun kind dan ze zelf zouden willen, bedenken ze kleine extra regeltjes: opvangmogelijkheden die ze zelf niet zien als 'opvang' of 'weggeven', bijvoorbeeld.

Wat zeker niet onder opvang valt:
- Opvang waar je niet voor betaalt (buurvrouw, vriendin uit de speelgroep)
- Opvang door familieleden (oma, tante)
- Opvang door tv of dvd (natuurlijk met geselecteerde, pedagogisch verantwoorde programma's)
- Opvang die niet op regelmatige basis gebeurt
- Opvang die spontaan aangeboden wordt (als je snel even naar de dokter of de kapper moet)

Vermoeiend: iedere keer andere opvang
Zo leven veel kinderen met een patchworkopvang die ze zelf niet kunnen overzien. De anderhalf jaar oude Louise gaat bijvoorbeeld halve dagen naar een crèche. Aangezien haar moeder drie dagen per week tot 16 uur werkt, is ze één

middag bij haar tante en de twee andere middagen bij haar oma. Op vrijdag werkt Louises moeder niet, dus dan gaat ze normaal gezien niet naar de crèche. Maar soms heeft haar moeder op vrijdag privéafspraken en dan gaat ze toch naar de crèche.

Deze patchworkopvang is een enorme belasting die iedereen op zijn zenuwen werkt. Louises moeder kan zich momenteel in ieder geval geen tweede kind voorstellen. 'Dan moet ik echt stoppen met werken', zegt ze.

Waarom gaat Louise niet hele dagen naar de crèche? 'Ze is nog zo klein', zegt haar moeder. 'Ik wil haar gewoon nog niet zo vaak en zo lang wegdoen. Vier ochtenden per week gaat wel, maar daar moet het bij blijven. Bovendien worden de meeste andere kinderen 's middags ook afgehaald en Louise moet niet één van de weinigen zijn die daar moeten blijven.'

Als je aan Louise haar moeder vraagt wanneer haar kind 'opvang' heeft, zal ze altijd antwoorden: 'Vier ochtenden per week'. Ze telt de middagen bij tante en bij oma niet mee en ook de vrijdagochtend niet die Louise over het algemeen twee keer per maand ook in de crèche doorbrengt.

Maar het is niet de bedoeling het zelfbedrog van Louises moeder aan te geven. Het gaat erom dat deze patchworkopvang niet goed is voor Louise.

Continuïteit en betrouwbaarheid staan centraal bij **EasyBaby**. Het is jouw taak als moeder om je kind vanaf het begin een betrouwbaar en vertrouwd levensritme te bieden. Dat geldt ook voor de opvang.

Het is absoluut niet nodig – en in praktijk ook niet haalbaar – om als moeder de opvang van je kind helemaal alleen te doen. Zelfs als voltijds moeder heb je zo nu en dan iemand nodig die voor je inspringt. En als werkende moeder zeker. De alternatieve vorm van opvang moet liefdevol, betrouwbaar en continu zijn, daar gaat het om. Idealiter wordt je kind behalve door jou en je partner maar door één andere persoon of instelling opgevangen.

Om dat ideaal te bereiken, moet je een realistisch beeld hebben van de hoeveelheid opvang die je nodig hebt. Stel dat je vier ochtenden per week werkt. Dan moet je jezelf afvragen of je zonder al te veel stress zelf voor middageten voor je kind kunt zorgen. Misschien is het beter om je kind pas na het eten of zelfs na zijn middagslaapje te gaan halen. Bedenk ook of het niet beter is om opvang te zoeken voor vijf ochtenden. Juist als je werkt, zul je een paar uur per week nodig hebben voor privéafspraken die je moeilijk met je kind kunt doen.

Voordat je opvang gaat zoeken, probeer je dus eerst heel nuchter in te schatten hoeveel opvang je nodig hebt. Reken niet alleen de tijd dat je werkt, maar ook je transport, tijd voor privéafspraken en pauzes voor jezelf.

Vooral werkende moeders maken de fout hun leven in twee te delen: werk en tijd met hun kind. Nog los van het feit dat dit niet vol te houden is, doe je je kind hiermee ook geen plezier.

Ieder kind heeft er recht op dat de persoon die voor hem zorgt enigszins vrolijk, ontspannen en uitgerust is. Mensen die alleen nog maar verplichtingen hebben, zijn meestal niet zo goed gehumeurd. Verplaats je dus even in je kind: zou je liever bij je gestreste moeder zijn of bij een uitgeruste oppasmoeder? Zou je liever met andere kinderen in de crèche willen spelen of met je moeder naar het gemeentehuis moeten gaan?

Moeders overschatten de waarde van hun aanwezigheid. Aanwezigheid heeft geen betekenis, ontspannen aandacht wel. Bedenk dus hoe lang en hoe vaak je je kind echt goed op kunt vangen. En probeer voor de rest van de tijd andere opvang te vinden.

Schat de behoefte aan opvang op voorhand ruim genoeg in. Kies niet voor 80% – en de rest wordt dan door oma, tante of een vriendin gedaan. Die heb je nog vaak genoeg nodig voor noodgevallen. Ga ook niet voor 100%, maar plan meer opvang dan je ogenschijnlijk nodig hebt. Plan 110% in. Je kunt je niet voorstellen hoe ontspannend het is om voldoende lucht te hebben.

Het is ontspannend voor jezelf en voor je kind als je je kind een beetje vroeger gaat halen. En het zorgt aan de andere kant voor heel veel stress als de opvang zo krap gepland is dat je regelmatig een beetje te laat bent. De oppassen zijn boos, je kind ontgoocheld en mama heeft een slecht geweten. Er zijn moeders die zichzelf deze stress regelmatig aandoen, omdat ze niet willen inzien dat niet alles in het leven altijd volgens plan verloopt.

Nadine was regelmatig te laat in de crèche

'Bij mij heeft het een half jaar geduurd totdat ik uiteindelijk begreep dat ik niet voldoende opvang had voor Filip. Ik werkte tot 12 uur en ik had een half uur nodig van kantoor naar de crèche. Filips opvang liep dus tot 12.30 uur. Elke week kwam ik minstens twee keer te laat. Of er kwam nog een telefoontje binnen, of mijn baas wilde nog iets vragen, soms zat ik in de file of ik moest nog tanken. Alsof er een vloek op rustte. Aangezien de kinderen in de crèche om 12.30 uur aten, was het heel storend dat ik te laat kwam, want het haalde de hele planning door elkaar. Ik had een slecht geweten, Filip was huilerig en de crèche dreigde Filip er uit te zetten. Toen besloot ik om hem mee te laten eten. Sindsdien was alles veel rustiger. Ik ben op tijd, hoewel ik onderweg vaak nog een boodschap doe, en thuis hoef ik niet meteen te koken. Filip vindt het schitterend dat hij met de andere kinderen mag eten en de opvoedsters ergeren zich niet meer aan mij. Ongelooflijk wat voor verschil een half uur kan maken.'

Natuurlijk speelt vaak niet alleen de emotionele kant een rol, maar ook de financiële bij de keuze van de soort en de duur van de opvang. Bij de overweging waar je geld aan uitgeeft, moet opvang in ieder geval hoog bovenaan staan. Goede en betrouwbare opvang is belangrijker dan dure kleding, duur speelgoed of een schitterend ingerichte kinderkamer. Ook belangrijker dan een grote auto of een mooie reis. Want als de opvang van je kind optimaal geregeld is, verhoogt dat de levenskwaliteit van het hele gezin. Elke dag.

Als kinderen 'vreemdgaan': de oppasmoeder

Wat is de ideale opvang voor je kind? In principe zijn er drie mogelijkheden. Je kunt je kind laten opvangen door een crèche, een oppasmoeder of een familielid – meestal is dat een oma.

De oma-oplossing is een uitzonderlijke gelukstreffer, want vaak wonen de grootouders niet in dezelfde stad of werken ze zelf nog. Maar ook als het wel kan, zijn er goede redenen om deze mogelijkheid niet als langdurige oplossing te zien: je bent daarmee een noodoplossing kwijt die je regelmatig dringend nodig hebt, zeker als je werkt. Aangezien kinderen vooral de eerste drie jaar vaak ziek worden, heb je oma of iemand anders nodig om in te springen. Ook de oppasmoeder kan ziek worden en de crèche sluit doorgaans tijdens de vakantie.

Als je voor een oppasmoeder kiest, heb je de keuze tussen iemand die thuis komt (bijvoorbeeld een au pair meisje) of iemand die meestal meerdere kinderen bij haar thuis opvangt. De oplossing in je eigen huis is meestal nogal duur, maar je hebt dan wel iemand voor als je kind een keer ziek is. Bovendien wordt je kind dan opgevangen in de omgeving die jij voor hem gecreëerd hebt. Nadeel: je kind zit vooral tussen volwassenen, heeft weinig contact met andere kinderen en leert zo niet zich aan te passen in een groep.

Tanja heeft gekozen voor een oppasmoeder die bij haar thuis komt:

'Ik vond het verschrikkelijk om Josephine weg te geven omdat ze heel gevoelig is en veel aandacht nodig heeft. Ik kon me gewoon niet voorstellen dat iemand zo met haar bezig zou zijn als ik. Daarom koos ik ondanks de kosten voor een oppasmoeder die bij ons thuis komt en alleen met Josephine bezig is. Bovendien hebben wij een heel mooi huis met een tuin. En ik zie niet in waarom mijn dochter daar niet van zou genieten.

Achteraf bezien moet ik toegeven dat de scheiding voor mij moeilijker was dan voor mijn dochter. Josephine en ik waren anderhalf jaar lang bijna altijd samen. We hebben in die periode nooit een babysit gehad en overdag nam ik haar overal mee naartoe. Ze was helemaal op mij gericht. Dat ergerde me weliswaar, maar ik was er ook trots op.

Irene, onze oppasmoeder, was echt een godsgeschenk. Ze is ouder dan ik en heeft al eigen kinderen opgevoed, waardoor ik haar gemakkelijker kon aanvaarden dan een heel jong meisje. En dat was belangrijk.

We hadden afgesproken dat ik er de eerste week nog bij zou blijven. Maar dat bleek al vlug een ramp. Josephine wou gewoon niets met Irene te maken hebben. Na vier dagen was Irene het echt zat en zei dat ze tijd alleen met Josephine moest hebben om een relatie op te kunnen bouwen. Het brak mijn hart dat ik mijn meisje huilend en schoppend in Irenes armen achter moest laten. Twee uur later kwam ik terug en zag door het raam hoe ze samen met de blokken zaten te spelen. Toen ik binnenkwam, vloog Josephine in mijn armen en wou ze niets meer weten van Irene.

Het heeft weken geduurd tot er bij het afscheid geen traantjes meer vloeiden. Daarna kwam er een fase die voor mij nog moeilijker was. Op een dag kwam ik thuis terwijl Irene Josephine een boek voorlas. Toen ik naar Josephine toeging en haar in mijn armen wou nemen, duwde ze me weg en riep: "Mama weg, Josie boek." Ik kreeg de tranen in mijn ogen en ik moest zo huilen, dat Josephine meteen mee ging doen.

's Avonds was ik zo ver dat ik mijn werk op wilde geven en Irene wilde ontslaan. Toen bemoeide mijn man er zich voor het eerst mee en zei me flink de waarheid. 'Het gaat om Josephine en om het feit dat ze goed opgevangen wordt. Wees blij dat het zo goed klikt met Irene en stop met je jaloezie. Als ik zou redeneren zoals jij, dan was ik allang uit het raam gesprongen. Josephine zegt zo vaak. "Papa weg, wil mama".

Hoewel ik het eerst niet wilde geloven, wist ik diep in mijn hart wel dat Jan gelijk had. Ik was gewoon jaloers. En die jaloezie is nog steeds niet helemaal weg. Als ik zie hoe gelukkig Josephine is met Irene ben ik natuurlijk wel blij voor haar, maar het steekt ook.'

Jaloezie is een diepmenselijk gevoel en komt heus niet alleen voor tussen man en vrouw. Maar jaloezie is ook een zeer storend gevoel, een gevoel dat zelfs de mooiste en beste ervaringen kapot kan maken. Vooral als het om kinderen gaat, is het heel belangrijk je jaloezie onder controle te houden, want een kind kan zich daar nog slechter tegen verweren dan een volwassene.

Er zijn maar weinig moeders die uitkomen voor hun jaloezie. Integendeel, ze schuiven alle mogelijke argumenten naar voor om de geliefde opvang van het kind zo snel mogelijk aan de kant te zetten. Wat jammer voor het kind!

Hou in ieder geval voor ogen dat jouw opdracht als moeder is om van je kind te houden. En het is jouw opgave jouw kind te leren van andere mensen te houden. Het is niet jouw taak dat te verhinderen en alle liefde van je kind op jezelf te richten.

Als de oppasmoeder meerdere kinderen heeft of als je kind naar een crèche gaat, is er in principe weinig concurrentie voor de moeder-kindrelatie. Daardoor duurt de gewenningsperiode vaak ook wat langer en loopt die wat moeilijker. Je kind moet namelijk tegelijkertijd aan veel nieuwe mensen en aan een nieuwe omgeving wennen.

Katrien heeft voor haar zoon Michel zowel een oppasmoeder als een crèche geprobeerd. Haar mening:

'Toen Michel nog heel klein was, ging hij halve dagen naar een oppasmoeder. Zij was mij aangeraden door mijn beste vriendin. We hadden haar waarschijnlijk niet gekozen als mijn vriendin niet zo enthousiast was geweest. Haar huis was namelijk vrij klein en er was geen tuin, maar alleen een terras. En er liep ook nog een grote hond rond in dat huis. Achteraf gezien ben ik blij dat we ons door deze uiterlijkheden niet hebben laten beïnvloeden, want Michel en zijn oppasmoeder hielden zielsveel van elkaar. En dat is uiteindelijk wat telt.

Ondanks de kleine ruimte slaagde de oppasmoeder erin om allerlei leuke dingen te doen met de drie kleine jongetjes waar ze op paste. Ze gingen veel naar buiten, tekenden en schilderden, bakten koekjes en kookten samen. Maar er werd niet alleen gespeeld, de kinderen moesten ook van kleins af aan een aantal regels leren: speelgoed opruimen, hun jasje netjes ophangen, rustig zijn tijdens de middagpauze. Juist de dingen die je verlangt van je kind en die zo moeilijk aan te leren en vol te houden zijn.

Toch deden we Michel na een jaar naar een crèche. Nog los van het feit dat de openingsuren voor ons praktischer waren, telde vooral mee dat hij daar jarenlang kon blijven. Zijn crèche maakt deel uit van een kinderdagverblijf waar ook een peuterspeelzaal en een lagere school aan verbonden zijn. Als wij daarvoor kozen, kon hij dus tot zijn twaalfde jaar in dezelfde omgeving blijven. Hij gaat van de ene groep naar de andere, maar hij kent de juffen en meesters dan al van uitstapjes, activiteiten en feesten. Dat vind ik ideaal.

Ik ben vooral heel tevreden met de professionaliteit waarmee alles in de crèche georganiseerd wordt. Alles is hier op kinderen gericht en aangepast aan de leeftijd. Vanaf de voorzieningen voor de heel kleine peutertjes en de prachtig ingerichte speelplaats tot de goed opgeleide leerkrachten. Dat kon de oppasmoeder natuurlijk niet bieden, hoe goed ze het ook deed.'

Veel moeders doen er alles aan om elke vorm van opvang door vreemden zo veel mogelijk te vermijden. Ze beschouwen opvang door vreemden als een noodoplossing, want ze geloven helemaal in de moedermythe – het kind kan alleen bij mij echt gelukkig zijn.

Deze houding verandert pas wezenlijk met het begin van de schooltijd. We doen onze kinderen niet naar school omdat we eindelijk weer willen gaan werken, maar omdat we willen dat ze iets leren op school. Voor het eerst in het leven van onze kinderen lijkt het mogelijk dat het beter voor hen is om ergens anders te zijn dan thuis bij mama.

Zelfs als je niet werkt, moet je afstand doen van de gedachte dat jouw aanwezigheid het hoogste goed is voor je kind. Wees blij dat je kind ook gelukkig kan zijn met andere mensen. Opvang door 'vreemden' is geen noodoplossing die je soms nodig hebt, het kan een mooie verrijking zijn in het leven van je kind.

En het beste is: doordat je weer tijd doorbrengt zonder je kind, worden de uren dat hij bij je is mooier en waardevoller. Niet alleen omdat die tijd zeldzamer geworden is, maar vooral omdat er een tijdelijke scheiding nodig is om met volle teugen van het samenzijn te genieten. Zo zitten mensen nu eenmaal in elkaar.

EasyBaby-regel nr. 70: Je kind heeft recht op een harmoni-euze, gelukkige en ontspannen opvang. Hoe vaak en hoe lang kun jij dat werkelijk zijn voor je kind?

EasyBaby-regel nr. 71: Vermijd patchworkopvang. Zorg voor liefdevolle, betrouwbare en regelmatige opvang. Idealiter wordt je kind maar door één persoon of instelling opgevangen.

EasyBaby-regel nr. 72: Plan 110% opvang door de behoefte aan opvang realistisch in te schatten – pauzes voor jezelf inbegrepen – en er dan nog eens 10% bij te tellen.

EasyBaby-regel nr. 73: Jaloezie op een crècheleidster of oppasmoeder die echt van je kind houdt, is normaal. Maar wat voor jou een probleem is, is voor je kind een groot cadeau. Pak hem dat niet af.

EasyBaby-regel nr. 74: Opvang door vreemden is geen noodoplossing maar een verrijking voor je kind – en voor jouw relatie met je kind.

De 200% regel –
Doe alsof je twee keer zo veel kinderen hebt

Als ik **EasyBaby** in één zin zou moeten beschrijven, zou ik dat als volgt doen:

Doe alsof je twee keer zo veel kinderen hebt.

Met deze zin is eigenlijk alles gezegd. Met deze regel kun je bijna alle situaties aan die je met een kind tegen kunt komen. Deze raad geeft je bij al je vragen het juiste antwoord. Ook als je al meerdere kinderen hebt, werkt de 200%-regel. Dan is het niet: doe alsof je twee kinderen hebt, maar doe alsof je twee keer zo veel kinderen hebt.

X maal 2 = ontspannen leven

De natuur heeft erin voorzien dat we meer dan één kind krijgen. En dat allemaal in een relatief korte periode. In gemeenschappen waar geen voorbehoedsmiddelen gebruikt worden en waar de moeder borstvoeding geeft, worden de kinderen meestal om de 18 maanden geboren. Deze periode ontstaat doordat vrouwen, terwijl ze borstvoeding geven, veel minder vruchtbaar zijn.

Bij mensen is het blijkbaar zo dat de moeder weer zwanger wordt als de jongste baby kan zitten, maar vaak nog niet eens kan kruipen. Het nieuwe kind wordt geboren als de 'grote' kan lopen en al een beetje zelfstandig vaste voeding kan eten. En het blijft niet bij twee kinderen. 18 maanden later komt er weer eentje. Aangezien de natuur meestal goed in elkaar zit, moet het mogelijk zijn voor verschillende kleine kinderen tegelijk te zorgen zonder dat één van de kinderen – of de moeder – daar ondraaglijk onder lijdt.

Wie een broertje of een zusje wil voor zijn kind, heeft waarschijnlijk een heel goed beeld van het hoe en waarom het kind daar baat bij kan hebben. Broers en zussen zijn vaak goede speelkameraadjes en een goed oefenterrein om intermenselijke relaties aan te leren. Als je geluk hebt, worden ze vrienden voor het leven.

Maar broers en zussen geven elkaar nog een ander cadeau: ze zorgen ervoor dat de ouders een stuk rustiger worden. Ze voorkomen dat één kind voortdurend in het middelpunt van alle aandacht staat. Broers en zussen kunnen bij hun ouders zijn zonder dat ze voortdurend beziggehouden worden. Iedereen staat graag eens in het middelpunt. Maar die situatie mag niet blijven duren. Wij hebben allemaal de behoefte om erbij te horen, zonder meteen de ster te zijn. Als er geen broers of zussen zijn, moet je die toestand nabootsen. Het probleem van moeders met één kind is niet dat ze onvoldoende tijd hebben voor hun kind, maar dat er te weinig is dat hen van hun kind afleidt.

Maar wat gebeurt er als we ons te veel op één ding concentreren? We verliezen ons gevoel voor prioriteiten en verhoudingen. Plotseling hebben we te maken met de spreekwoordelijke mug, die een olifant wordt. Dan lijkt elke huilbui op koliek te wijzen en ieder pukkeltje is het begin van een gevaarlijke ziekte. Daar worden we zelf gek van en onze kinderen ook.

De Amerikaanse neurobiologe Lise Eliot onderzoekt al jaren of en hoe de intelligentie van kinderen gestimuleerd kan worden. In haar werk, maar ook bij haar eigen drie kinderen heeft Eliot vastgesteld dat overijverige ouders meer kwaad dan goed doen. Het beste wat ouders voor hun kinderen kunnen doen, zegt zij, is een groot gezin stichten. Want wie veel kinderen heeft, moet de verschillende kinderen wel meer vrijheid geven.

Een paar vragen

Bij **EasyBaby** gaat het erom over te schakelen: van 'veel zorgt voor veel' naar een beetje terughoudendheid en vertrouwen in onze kinderen. **EasyBaby** kun je dus het beste begrijpen als je het dagelijkse leven van een moeder met een paar kinderen bekijkt.

Op veel vragen krijg je dan opeens een verbluffend eenvoudig antwoord:

Is het erg als ik mijn kind eens laat wachten?
Nee, dat is niet erg. Het is vaak onvermijdelijk. Als ik net één kind een schone luier geef, kan ik niet tegelijkertijd een ander kind troosten. Als ik de baby in bad doe, kan ik niet tegelijkertijd een verhaaltje voorlezen aan de oudste. Als ik de oudste naar bed breng, kan ik niet tegelijkertijd de baby de borst geven.

Hoe kan ik vermijden dat mijn kind wakker wordt van geluid?
Door hem eraan te wennen ook met geluiden te slapen. Je kunt het geluid van een baby nu eenmaal niet uitzetten en dus kun je het tweede kind geen nachten zonder geluiden meer garanderen.

Ik ben aan het einde van mijn Latijn. Hoe kom ik weer op krachten?
Door je niet meer de klok rond in te zetten. Je baby heeft jouw voortdurende aanwezigheid en je niet aflatende toewijding niet nodig. Hij zit zo in elkaar dat hij zonder problemen zijn moeder met andere kinderen (of met andere activiteiten) kan delen.

Mijn kind wil aldoor opgepakt worden.
Het is zijn goed recht om dat te vragen. En het is jouw recht om nee te zeggen. Niemand kan zijn kind de hele tijd op zijn arm hebben. En zeker niet meerdere kinderen tegelijk.

Het idee dat je twee keer zo veel kinderen hebt, laat je de essentie van de dingen zien. Je scheidt belangrijke dingen van bijkomstigheden en vermindert dus aanzienlijk de druk en de stress in de relatie met je kinderen. Maar dan moet je wel bereid zijn om deze voorstelling ook serieus te nemen. Vooral als je gestrest of oververmoeid raakt door je kind, als de baby meer last dan lust is, moet je heel nuchter nagaan:
Wat zou ik niet meer kunnen doen als ik twee keer zo veel kinderen had?
Wat zou ik moeten veranderen?
Waar zou ik mee moeten stoppen?
Waar zou ik mee moeten beginnen?

Misschien leg je dit boek nu even opzij om deze vragen voor jezelf te beantwoorden. Maak een lijstje met alles wat in je opkomt. Hoe specialer, hoe beter. En schrijf ook de dingen op die je in geen geval op wilt geven. Want deze lijst verplicht je tot niets. Hij zorgt alleen maar voor duidelijkheid in je hoofd. Het zou niet goed zijn om in één keer de hele lijst uit te willen voeren. Begin dus met het punt dat je het gemakkelijkst vindt.

Iedere moeder maakt haar eigen persoonlijke lijst. Maar sommige punten vinden we op bijna alle lijstjes terug.

Veel vrouwen zeggen: als ik twee keer zo veel kinderen zou hebben, zou ik

- Een korter slaapritueel invoeren.
- Steeds terugkerende dingen zoals wassen, tanden poetsen, aankleden en opruimen beter organiseren.
- De dag beter structureren en vaste afspraken maken waar het kind zich aan moet houden.
- Minder aandacht besteden aan speciale hebbelijkheden, trekjes en voorkeuren van mijn kind.
- Niet zo snel en niet zo lang ingaan op huilen en jengelen.
- Zijn ontwikkeling minder kritisch bekijken en de dingen meer op hun beloop laten.
- De vader meer betrekken.
- Bijkomende opvangmogelijkheden organiseren.
- Het kind eraan wennen rekening te houden met bepaalde dingen (bijvoorbeeld een slapende baby).

Al deze punten komen je vermoedelijk bekend voor. Het zijn namelijk allemaal onderdelen van de **EasyBaby-methode**. In essentie gaat het er telkens om ritme en routine in het leven van je kind en je eigen leven in te voeren, een overdreven perfectionisme opzij te zetten en te aanvaarden dat minder ook al voldoende kan zijn. Wat je nu allemaal voor je kind doet, zou je niet voor twee (of meer) kinderen kunnen doen. En dat is niet jammer, maar juist goed.

Maak je graag wc's schoon?

De 200%-regel dwingt je niet alleen van jezelf maar ook van je kind iets te verwachten: je verwacht van hem dat hij zich aanpast, een routine volgt en in de mate van het mogelijke rekening houdt met een aantal dingen. Door dit van je kind te verlangen, stimuleer je hem op de allerbeste manier. Je toont hem namelijk hoe hij zijn plaats kan vinden in een samenleving met andere mensen. Dat is een grote opgave voor jou en voor je kind.

De 200%-regel leert niet alleen de kunst om minder te doen, maar ook de kunst om meer te genieten. Die twee zijn namelijk onlosmakelijk met elkaar verbonden. Als je nerveus wordt van de verzorging van je kind, heb je er automatisch ook geen plezier meer in. Als moeder zijn een eindeloze marathon van plichten wordt, wat is er dan nog leuk aan? Het is toch een ramp dat sommige Duitse moeders in een onderzoek aangaven dat ze de zorg voor hun kind ongeveer even leuk vinden als het schoonmaken van de badkamer. Ik geloof niet dat deze moeders hun kinderen veel goed doen. En als kind zou ik geen moeder willen hebben voor wie haar tijd met mij even leuk is als het schoonmaken van de wc. Dan toch liever minder tijd met de moeder samen, maar samen wel plezier hebben!

Als je in gedachten houdt dat je bepaalde dingen niet zou kunnen doen voor je kind als je meer kinderen zou hebben, dan wordt het gemakkelijker om jezelf toestemming te geven om minder te doen: je mag minder doen, want je kind heeft geen volle inzet nodig.

Je mag meer tijd voor jezelf nemen, want het is goed voor je kind als het niet aldoor je aandacht heeft. Je mag iets van je kind verlangen, want zo stimuleer je hem het best.

Je mag je ontspannen. Fout. Je *moet* je ontspannen, want je kind heeft geen martelaar nodig die op de rand van een zenuwinzinking zit, maar een gelukkige, tevreden moeder.

EasyBaby-regel nr. 75: Kinderen hebben er behoefte aan ergens bij te horen, zonder daarmee de ster te willen zijn.

EasyBaby-regel nr. 76: Als je oververmoeid raakt, vraag je je af: wat zou ik moeten veranderen als ik twee keer zo veel kinderen zou hebben? Begin met het punt op je lijst die het gemakkelijkst is.

Deel III

Wat het moederschap
met je doet

Waarom alle moeders liegen –
Superbaby's en supermama's

De dingen die we ons herinneren hebben vaak verschrikkelijk weinig te maken met wat we echt beleefd hebben. Je kunt gewoon niet op je eigen herinnering vertrouwen. Twee voorbeelden:

Stel je voor dat je kunt kiezen tussen twee vormen van vakantie: je gaat een week lang naar een prachtige plaats, leert leuke mensen kennen en amuseert je kostelijk. De laatste dag is er dan nog een bijzonder hoogtepunt. Of je gaat drie weken naar deze plaats, beleeft hetzelfde, maar die leuke mensen vertrekken na een week. Je brengt nog twee mooie weken door, maar die zijn niet meer zo schitterend als de eerste.

Je kunt je amper voorstellen dat je voor het eerste voorstel zou kiezen. Uiteindelijk biedt de langere vakantie alles wat de kortste ook heeft, plus twee niet meer zo uitzonderlijke maar toch ook aangename weken. Psychologen raden ons aan om in dit geval niet op ons verstand af te gaan. Want als je mooie herinneringen wilt hebben, moet je zonder twijfel voor de kortere vakantie kiezen.

Nog een testvraag: je moet naar de tandarts en kunt kiezen: de behandeling duurt tien minuten en doet heel veel pijn, of hij duurt vijftien minuten waarvan de eerste tien minuten even pijnlijk zijn als bij de eerste behandeling, maar dan volgen er nog vijf draaglijkere minuten. Het resultaat van de behandeling is in beide gevallen hetzelfde.

Alleen een masochist zou toch voor de langere tweede behandeling kiezen? In het belang van ons gevoel van tevredenheid zouden we ook in dit geval de minder aantrekkelijke variant moeten kiezen.

Eind goed, al goed?

De reden daarvoor is de 'hoogtepunt-einde-regel' die de Amerikaanse psycholoog en Nobelprijswinnaar Daniel Kahnemann ontdekte. Deze regel zegt dat de mens alle gebeurtenissen waardeert volgens twee criteria: welk gevoel had ik op het hoogtepunt van de gebeurtenis en welk gevoel aan het einde? De duur van de belevenis speelt geen rol. Het is optimaal als het gevoel op het einde het beste is. In onze herinnering zal de korte, leuke vakantie met een hoogtepunt op het einde dus veel beter zijn dan de lange vakantie die de laatste twee weken opeens veel minder leuk was. De hoogtepunt-einde-regel wordt nog interessanter bij negatieve ervaringen, zoals het bezoek aan de tandarts. De langere behandeling die niet zo pijnlijk eindigt als hij begonnen is, voelt minder verschrikkelijk aan, hoewel we objectief gezien langer lijden. Gek hè?

En stel je nu eens een bevalling voor. Een normale bevalling is op het hoogtepunt heel pijnlijk, maar op het einde – als je de pasgeboren baby in je armen houdt – even extreem gelukkig. Volgens de hoogtepunt-einde-regel moet die ervaring in ons geheugen na een tijdje als positief opgeslagen worden. En dat is in de meeste gevallen ook zo. Hetzelfde geldt voor doorwaakte nachten, krampen en borstvoedingsproblemen: aangezien de meeste crises met een baby gelukkig goed aflopen, lijken ze in onze herinnering niet meer zo verschrikkelijk.

Wie dus wil weten hoe het echt is om moeder te zijn, kan niet volledig vertrouwen op de beschrijvingen van andere moeders. Vooral in moeilijke situaties is het vaak echt geen troost als je raad vraagt aan andere moeders. Het gebeurt maar zelden dat je hoort: 'O ja, ik herinner het me nog goed. Dat was bij ons ook verschrikkelijk.' Er worden integendeel een heleboel goedbedoelde adviezen op de kersverse moeder afgevuurd. Het is dus geen wonder dat de meeste vrouwen helemaal niet voorbereid zijn op een crisis met de baby en zich dan moederziel alleen voelen. Want natuurlijk lijkt het dan alsof zij de eersten en enigen zijn die het zo moeilijk hebben.

Bijna alle moeders stellen hun kind gemakkelijker, gelukkiger en begaafder voor dan hij echt is. De hoogtepunt-einde-regel is niet de enige reden dat moeders vaak liegen.

In de allereerste plaats worden de meeste vrouwen helemaal overweldigd door de uiteenlopende opwindende ontwikkelingen die een baby met zich meebrengt. Hoewel een dag met een klein kind vaak zonder noemenswaardige gebeurtenissen voorbij lijkt te gaan, heb je na een tijd toch het gevoel dat er ontzettend veel gebeurd is. Elke nieuwe gebeurtenis stelt alles wat er al voorbij is weer in de schaduw.

Stel dat je in het begin problemen hebt met de borstvoeding. Op dat moment lijken die problemen enorm groot en heb je vermoedelijk het gevoel dat je ze amper aankunt. Maar als de borstvoeding net goed loopt, wordt je baby opeens ziek. Dan komt zijn ziekte natuurlijk op de voorgrond. Vervolgens komen de eerste tandjes en daarna probeer je hem te overtuigen van de voordelen van vaste voeding. En zo gaat het maar door. Bijna iedere week gebeurt er weer iets nieuws waardoor je helemaal in beslag genomen wordt.

En als iemand je dan na een jaar vraagt: 'Hoe ging de borstvoeding bij jou eigenlijk?' dan denk je waarschijnlijk eerst aan al die maanden waarin dat probleemloos verliep. En pas even later herinner je je dat je helemaal in het begin wat problemen had om op gang te komen. Maar de dramatiek van toen is helemaal verdwenen. En zo kan het gebeuren dat je een vriendin die er problemen mee heeft gewoon antwoordt: 'Ach, de borstvoeding ging bij mij na een paar dagen vanzelf.'

Ga je dus niet onzeker voelen door de supermama's in je omgeving bij wie alles vanaf het begin perfect ging. Alle moeders hebben de neiging om te vergeten. De enige situatie die telt, is de situatie die je nu zelf meemaakt. Al het andere vervaagt in je herinnering.

Katrien probeert zich Jules' babytijd te herinneren

'Ik heb vaak het gevoel dat we om de paar weken een ander kind krijgen. De Jules die ik nu heb, heeft niets te maken met het kind dat ik een half jaar geleden in mijn armen hield. En al helemaal niets met de baby van twee jaar geleden. Kinderen veranderen zo verschrikkelijk snel. De kleine stoere jongen, die me al flink kan knuffelen, heeft die echt wat te maken met de zuigeling die niet wilde drinken? De Jules die zich nu woedend op de grond gooit, is dat echt hetzelfde kind dat we vorig jaar 'Kleine Boeddha' noemden omdat hij zo rustig was?

Ik ben nu weer in verwachting en ik probeer me te herinneren hoe het toen allemaal was. Maar dat lukt me niet. Ik kijk naar de foto's – met mijn dikke buik, Jules vijf minuten na de geboorte, Jules één week oud, drie maanden oud – en het is net alsof iemand anders die tijd meegemaakt heeft en mij daar nu over vertelt. Misschien dwingen kinderen ons wel helemaal in de tegenwoordige tijd te leven, niet terug te kijken en niet te ver vooruit. Eigenlijk een heel mooie levenshouding.'

Het is niet alleen de herinnering die moeders parten speelt. Vaak hebben de leugens er ook mee te maken dat iemand zich beter voor wil doen dan hij is. Moeders hebben ongeveer dezelfde soort verhouding met hun kinderen als de meeste vrouwen met hun gewicht. Verkoopsters kunnen er boeken over schrijven hoe vrouwen zich met alle geweld in maat 38 wringen, hoewel maat 40 al krap zou zijn.

Je zou even argwanend moeten zijn als je bijvoorbeeld hoort van kinderen die al na een paar weken doorslapen. Als je dieper doorvraagt, komt het er vaak op neer dat 'doorslapen' betekent van middernacht tot 5.30 uur – en dan nog maar drie keer per week en niet iedere nacht.

Katharina weet dat elke moeder andere normen hanteert:

'Michiel was de eerste twee jaar verschrikkelijk vaak ziek. Een kleine verkoudheid, hoesten, uitslag of koorts. Aangezien hij al vroeg in een crèche opgevangen werd, vroeg ik me af of het daaraan lag. Ik had echt een slecht geweten. Vooral omdat mijn vriendin, die zelf voor haar dochter zorgde, vertelde dat haar kindje bijna nooit ziek was. Toen we een keer bij haar op bezoek waren, was Anna verkouden en had koorts. Toen ik zei: "Ach, nu is ze voor het eerst echt ziek", was mijn vriendin geërgerd, want het was alleen maar een beetje koorts, maar geen ziekte. Aha, dacht ik, als dat zo is, dan is Michel nog nooit ziek geweest.'

Toegeven dat je als moeder problemen hebt of ervoor uitkomen dat je het niet altijd aankunt, is heel moeilijk. Zo moeilijk dat veel vrouwen te laat hulp en steun zoeken. Het gebeurt niet zelden dat moeders ten einde raad hun huilende baby door elkaar schudden of zo onzacht op de luiertafel leggen dat hij zijn hoofdje stoot. Dat zijn geen slechte moeders, maar ze kunnen gewoon niet meer. Maar hun eigen hulpeloosheid toegeven? Nooit!

Waarom is het zo moeilijk om over problemen met kinderen te praten?

1 Omdat niemand dat doet. Iedereen schijnt het perfect te redden met zijn kinderen. Waar je ook kijkt, overal bekwame moeders met tevreden baby's.

2 Omdat problemen niet voorkomen in ons moeder- en vrouwbeeld. Iedere normale vrouw is automatisch een goede moeder. Als we problemen hebben met ons kind, klopt er iets niet met ons. Met ons als moeder en met ons als vrouw.

3 Omdat we denken dat het moederschap toch niet zo moeilijk kan zijn. Uiteindelijk kan iedereen kinderen krijgen en ze opvoeden. Daar hoef je niet voor te studeren en je moet er geen examens voor afleggen. Het moet dus gemakkelijker zijn dan autorijden.

4 Omdat we al zo veel andere moeilijke situaties in ons leven in de hand hebben gehouden. Het kan toch niet dat een vrouw die zonder problemen een afdeling met 30 mensen geleid heeft een kind van een half jaar oud niet aankan?

De waarheid doet wonderen

Om maar geen vuile was buiten te hangen, liegen we liever dat we groen zien. En als we er een keer niet in slagen om de façade op te houden, als we toch eens in onze kaarten laten kijken, dan verdringen we dat verschrikkelijke ogenblik liever zo snel mogelijk. We geloven liever dat ze ons op een zwak moment gezien hebben. En iedereen heeft weleens een slecht moment. We mogen vooral niet toelaten dat iemand zou denken dat we slechte moeders zijn.

Doe daar niet aan mee. Neem afstand van de moederolympiade. Geef toe dat veel situaties met de baby moeilijk zijn. En erken gewoon dat het je soms allemaal te veel is.

Dan gebeuren er opeens allerlei dingen: om te beginnen voel je je steeds beter en rustiger. Want niets is lastiger dan aldoor een façade op te moeten houden. Waarschijnlijk krijg je dan bovendien hulp aangeboden.

Het is een fantastisch gevoel dat je niet overal alleen voor staat. Maar zo lang je de supermama speelt die toch alles beter weet, komt niemand op het idee om je te helpen.

Maar het beste is dat je andere moeders de moed geeft om ook eerlijk te zijn en eindelijk hun masker te laten vallen. We zijn namelijk allemaal bang voor de perfecte moeder. Tegenover zo iemand zal niemand zich blootgeven. Maar op het moment dat je je zwakte toegeeft, ben je voor andere moeders geen bedreiging meer. Dan durven de anderen ook te vertellen over crises, fouten en mislukkingen. En pas dan kunnen we echt van elkaar leren. Van goede raad van betweters is nog niemand beter geworden. Je kunt alleen maar leren van mensen die zelf ook weleens op een punt gestaan hebben waarop ze geen uitweg meer zagen.

Hou jezelf voor dat de angst dat je een slechte moeder bent totaal overbodig is. Alleen al het feit dat je daar bang voor bent, bewijst dat je helemaal geen slechte moeder kunt zijn. Want het is duidelijk dat je van je kind houdt. Anders zou je niet bang zijn dat je het niet goed doet als moeder.

Het paradoxale van moeder zijn is dat je beter wordt door minder inspanningen te doen. De beste strategie is vermoedelijk om te zeggen: ik ben gewoon een beginner in deze baan. Het is duidelijk dat ik geen supermama ben en mijn kind geen superbaby. Zo blijf je ontspannen en sta je open voor nieuwe dingen. En dan zijn crises of fouten niet meteen het einde van de wereld.

Ga ervan uit dat je best een goede moeder bent. Dat is voldoende. Beter hoef je niet te zijn. En bespaar je kind ook te hoge eisen. Als je kind redelijk gelukkig, tevreden en gezond is, is dat al een groot geluk. Voor kinderen geldt hetzelfde als voor andere dingen: verwacht weinig – en geef het leven de kans al je verwachtingen te overtreffen.

Aan zo'n ontspannen houding moet je elke dag werken. En het is bijna onmogelijk deze houding vol te houden als iedereen om je heen in de moederolympiade voor goud gaat. Vermijd de supermama's dus en zoek gericht naar vrouwen die hun moederschap niet zo serieus nemen. Zo word je niet onzeker van de leugens van andere moeders.

EasyBaby-regel nr. 77: Vertrouw je herinneringen niet – en ook niet het geheugen van andere moeders. Alle moeders hebben de neiging om te vergeten. Vooral moeilijke tijden.

EasyBaby-regel nr. 78: Vraag verder door als je hoort van superbaby's die nooit ziek zijn, altijd doorslapen en ook verder geen problemen geven. Bijna alle moeders stellen hun kinderen beter voor dan ze zijn. En elke moeder meet met andere waarden.

EasyBaby-regel nr. 79: Doe niet mee met de moederolympiade. Geef toe dat je niet altijd alles in de hand hebt. En laat jo holpon.

EasyBaby-regel nr. 80: Verwacht niet te veel van jezelf en van je kind. Jullie zijn allebei beginners in deze baan.

EasyBaby-regel nr. 81: Vermijd supermama's en zoek liever contact met vrouwen die hun moederschap niet zo verschrikkelijk serieus nemen.

Ben ik een beter mens
omdat ik een kind heb?

Vergeet de mannen van Mars en de vrouwen van Venus. De kloof tussen moeders en niet-moeders is veel groter dan tussen mannen en vrouwen. Is het je trouwens opgevallen dat dit bij mannen niet zo is? Of heb je een man al tegen een andere man horen zeggen: 'Sinds Roger een kind heeft, is hij op een of andere manier zo grappig geworden?'

Van zeekomkommers en koala's

Moeders en niet-moeders zijn daarentegen heel verschillende soorten. Net zo verschillend als zeekomkommers en koala's. En moeders zijn automatisch superieur. Ze zijn misschien een beetje naïever, saaier, minder ontwikkeld en beperkter – maar het zijn wel betere mensen. Dank u. Dat is toch de rol waar we altijd van af wilden. Net zoals Moeder Theresa. Iedereen vond haar fantastisch, maar niemand wilde met haar ruilen. Onderschat niet wat het moederschap met je doet. Vanaf de eerste ademtocht van de baby definieert de maatschappij jou als iemand die vooral voor anderen leeft. Luxe? Egoïsme? Wat is dat?
Dat merk je al als je naar de reclame kijkt. Campagnes waar moeders in voorkomen gaan altijd over producten die een beetje degelijk, praktisch of belangrijk voor het gezin zijn. Dus een gezinsauto in plaats van een cabrio, verzekeringen en spaarprogramma's in plaats van lippenstift en nagellak, gemakkelijke kleding in plaats van designmode.

Sabine is publiciteitsmanager voor een grote uitgeverij:
'Ik werk voor heel verschillende magazines, zowel voor een glossy als een tijdschrift over opvoeding. Sinds jaar en dag probeer ik om de mode- en cosmeticabedrijven te overtuigen van de opvoedingstijdschriften. Zonder resultaat. Ik krijg altijd als antwoord: "Ach, moeders hebben toch niet meer zo veel belangstelling voor hun uiterlijk. En verder hebben ze geen geld voor luxeproducten."

Wat een onzin is dat toch! Ik heb zelf kinderen. En ik moet heel vaak tegen mijn klanten blijven herhalen dat ik mijn make-up en mijn lievelingsparfum toch niet in de verloskamer achtergelaten heb. Ik heb toch nergens getekend dat ik geen Dior-lippenstift meer zal kopen en geen Gucci-jurk zal dragen. De weeën nemen je goede smaak toch niet mee.

Zinloos. Je praat tegen de muur. Maar ik merk het ook onder collega's. Als ik over mijn kinderen vertel, trekken ze grote ogen en iedere keer krijg ik weer te horen: "Dat jij kinderen hebt! Dat past helemaal niet bij jou." En waarom dan niet? Omdat ik fulltime werk? Of omdat ik naast mijn werk en mijn kinderen ook nog andere interesses heb?'

Moeder zijn zou zo veel gemakkelijker kunnen zijn als je gewoon een kind kreeg en daarna weer de mens kon zijn die je altijd geweest bent. Maar voor de meesten onder ons werkt dat niet. Er zijn in onze maatschappij een aantal onuitgesproken regels hoe een moeder moet zijn. Aangezien we allemaal deel uitmaken van deze maatschappij, zitten die regels ook stevig in ons hoofd verankerd.

De eerder beschreven moedermythe zorgt ervoor dat we kinderen hebben serieus nemen, dat je een kind er niet zo maar even bij neemt. Heel jonge moeders nemen dat soms een beetje lichter op.

Jana groeide op in Polen en was 20 toen ze haar eerste kind kreeg:

'Dat was niets speciaals. Integendeel. Het was eigenlijk normaal dat je tijdens je studie ook een gezin stichtte. Veel van mijn vriendinnen kregen in die periode hun eerste kind. Eigenlijk is het leven daardoor niet wezenlijk veranderd. Je verhuisde naar een andere verdieping van het studentenverblijf. We hebben ondanks de baby hard gestudeerd, maar ook veel gefeest. We hebben er eigenlijk weinig over nagedacht. Het was normaal.

Tien jaar later kreeg ik mijn tweede kind. En toen was het heel anders dan de eerste keer. Vanaf de eerste dag van de zwangerschap stelde ik mezelf een heleboel vragen: hoe moet ik goed zorgen voor de baby? Hoe moet mijn leven eruitzien zodat de baby zich goed voelt? Ik had het gevoel dat er grote dingen in het verschiet lagen en was op alles voorbereid. Het was net een Himalaya-expeditie en ik kon maar niet begrijpen dat ik de beklimming de eerste keer zonder training of uitrusting gedaan had. De vorige keer had ik er niet echt verder bij nagedacht. En had ik geluk. Want vaak gaat het beter als je je niet echt bewust bent van alle mogelijke gevaren en hindernissen.

Ik zou nu niet kunnen zeggen welk uitgangspunt het beste was voor mijn kinderen. Maar ik kon toch niet kiezen. Als je 30 bent, heb je gewoon niet meer dezelfde zorgeloosheid. En de tweede keer wist ik natuurlijk ook wat een kind echt betekent. Maar ik geloof niet dat mijn oudste onder mijn jeugdige onbekommerdheid geleden heeft.

Voor mezelf was het bij het eerste kind in ieder geval gemakkelijker. Ik had niet het gevoel dat ik iets op moest geven voor mijn kind. We waren ook niet echt als gezin georganiseerd, maar leefden intensief in onze vriendenkring. Iedereen – ook de niet-ouders – zorgde mee voor de kinderen.'

Dat ouders en niet-ouders samen voor de kinderen zorgen, komt tegenwoordig nog zelden voor. Niet het minst omdat moeders de niet-moeders niet vertrouwen. Wat weet een zeekomkommer van het grootbrengen van koala's?

In dergelijke omstandigheden is het voor niet-moeders ook niet aantrekkelijk om moeders te steunen. Ze staan voor hetzelfde dilemma als veel vaders: onder strenge controle en met gedetailleerde aanwijzingen mogen ze helpen. Maar wie heeft daar zin in? En o wee als een niet-moeder welgemeend advies geeft. 'Krijg eerst zelf maar eens kinderen', is dan meteen het antwoord.

Britta is maar laat moeder geworden

'Ik was kinderloos en stond er een beetje buiten toen al mijn vriendinnen moeder werden. Ik schrok hoe het moederschap deze vrouwen, die ik al heel mijn leven kende, veranderde. En als ze dan tenminste nog gelukkig waren geweest. Of heel gelukkige kinderen hadden. Maar dat was niet het geval. De meeste moeders leefden de eerste twee jaar helemaal in hun babykosmos en werden steeds ontevredener en ongelukkiger. Het was bijna onmogelijk om ze alleen te zien. De baby was er altijd bij.

Van buitenaf gezien leken er voor de problemen van mijn vriendinnen eenvoudige oplossingen te bestaan: zich niet helemaal door de kinderen laten terroriseren, de baby niet zo serieus nemen en tijd nemen zonder de baby.

Ik heb het een paar maal gewaagd me ermee te bemoeien. De vriendelijkste reactie was nog van een vriendin die zei: "Tja, vroeger dacht ik ook dat het zo simpel was. Maar het is heel anders als het kind er eenmaal is. Dat moet jij ook nog meemaken." Niemand begreep dat ik echt wou helpen, ze voelden zich allemaal aangevallen. Ik begon mijn mond te houden en we zagen elkaar steeds minder. De spanning ebde pas een beetje weg toen de kinderen groter werden. Maar ik kan nog steeds de antwoorden niet vergeten die ik toen kreeg.'

Veel moeders maken de fout te geloven dat alleen andere moeders hun situatie kunnen begrijpen. Dat is net zoiets als dat je enkel nog naar dokters zou gaan die zelf ziek zijn – of het geweest zijn. We weten toch allemaal dat een beetje afstand vaak meer duidelijkheid geeft dan wanneer je er middenin zit. Iemand die niet direct bij de zaak betrokken is, is juist vaak de beste raadgever. Dat is het principe van therapie. En dat is de reden waarom succesvolle managers zich laten coachen door consultants die het bedrijf niet van binnenuit kennen.

EasyBaby raadt je aan om gebruik te maken van het heldere inzicht van je kinderloze vriendinnen. Niet alles wat die vriendinnen zeggen, zal kloppen. Maar hun observaties en raad verdienen respect van onze kant. Want zelf zien we vaak niet hoe we veranderen. Pas achteraf kunnen we ons gedrag een beetje realistisch inschatten.

Vrienden zijn een kostbaar en zeldzaam goed. Het is de moeite waard om er ook in moeilijke tijden aan vast te houden. En niet het minst voor onze kinderen. Nu de gezinnen steeds kleiner worden, zijn vrienden een belangrijke vervanging. Vooral vrienden die zelf geen kinderen hebben zijn vaak heel gemotiveerd om onze kinderen te begeleiden in het leven. Zij kunnen onze kinderen dingen geven, die wij niet kunnen geven. Maar ze zullen dat alleen maar doen als we hun de omgang met onze kinderen toevertrouwen. En dat betekent dat we moeten aanvaarden dat ze veel dingen anders doen dan wij.

Een andere fout die moeders maken in de omgang met niet-moeders is het moeder-Theresa-effect, waar we het al over gehad hebben. Dat betekent dat we geloven dat we een beter mens worden omdat we moeder zijn. Dat we geloven dat we allerhande privileges genieten omdat we kinderen hebben. Nee. Moeder-zijn is geen vrijbrief om onbeleefd of nietsontziend in het leven te staan.

Het is niet goed om je met je kind overal voor te dringen. Het is niet goed om te verwachten dat wildvreemde mensen in elke situatie rekening houden met jouw kind. Het is niet goed op een feestje waarop je ongevraagd je baby meegebracht hebt te verlangen dat de muziek zachter gezet wordt zodat de kleine kan slapen. En het is niet goed als je dochter in een volle ruimte naar haar K3-cassettes luistert. Tenzij ze een koptelefoon draagt.

Dat betekent niet dat je helemaal geen consideratie voor kinderen hoeft te vragen. Ieder kind heeft het recht om te huilen en te schreeuwen. Maar alleen op de juiste plaats en op het juiste moment. Want de vrijheid van de ene stopt waar die van iemand anders begint. Rekening houden met anderen werkt van twee kanten. Het is jouw verantwoordelijkheid als moeder om je kind te leren hoe hij zich in onze maatschappij gedraagt zodat hij zich goed kan voelen in deze wereld – en de wereld met hem. Jij bent zijn navigatiesysteem. Vanaf het begin. Als je verwacht dat de wereld zich wel helemaal zal aanpassen aan jouw kind, zal je kind deze verwachting delen. Als de wereld jou en je kind daarin niet tegemoetkomt, zijn desillusies en conflicten onvermijdelijk.

Wie echt van zijn kind houdt, voedt het zo op dat het ook geliefd is bij andere mensen. En niemand houdt van een vervelend kind – behalve misschien de eigen ouders.

Van merries en missionarissen

Het feit dat de relatie tussen moeders en niet-moeders zo moeizaam geworden is, zou kunnen doen vermoeden dat het bij moeders onderling gemakkelijker is. Je zit allemaal in hetzelfde schuitje, stelt dezelfde prioriteiten, hebt het ongrijpbare geluk gevoeld van een kind.

Dat zou mooi zijn. Onder moeders is het net zoiets als onder partijgenoten. Blijkbaar is een gemeenschappelijke basis de allerbeste voedingsbodem voor wantrouwen, vijandigheid, smaad en intriges.

De haat en nijd tussen voltijds moeders en werkende moeders is legendarisch. Maar ook buiten het onderwerp van de opvang is er stof genoeg voor ruzie. Eigenlijk is elke vrouw verdacht die anders met haar kind omgaat dan wij. Daar zijn twee redenen voor.

Ten eerste: zodra het om onze kinderen gaat, zijn we niet meer bereid tot compromissen. We willen, willen, willen alles goed doen en niet gewoon een beetje goed, maar honderd procent goed.

Op andere vlakken is dat normaal niet zo. Laten we aannemen dat je een passie hebt voor joggen. Dan wil je dat natuurlijk zo goed mogelijk doen. Maar je zult er wellicht altijd rekening mee houden dat jouw trainingsmethode misschien maar de op één na beste is. Als je dus iemand anders leert kennen die heel anders traint, dan kijk je vermoedelijk geïnteresseerd en ga je na of je iets van hem kunt leren. En als je vaststelt dat de andere trainingsmethode beter is, vergaat de wereld niet, maar heb je gewoon iets geleerd.

Deze openheid voor nieuwe en andere dingen is bij moeders veel beperkter. Contacten met een andere opvoedingsmethode worden niet gezien als een kans, maar als een bedreiging. Als die andere moeder gelijk heeft, dan doe ik vast wat verkeerd. Een fout! Bij mijn kind! Als je dat moet vaststellen, kun je alleen maar besluiten dat de ondergang van de wereld echt niet meer ver weg is.

En zo komen we bij de tweede oorzaak van de bittere strijd tussen moeders: angst en onzekerheid. We weten namelijk eigenlijk helemaal niet zo zeker of we alles wel goed doen. Integendeel, de panische angst dat we iets verkeerd doen, blijft altijd bij ons. Daarom zijn we zo vatbaar, zo kwetsbaar. Daarom slaan we wild om ons heen zodra iemand een krasje in het oppervlak maakt.

Het zelfvertrouwen van bijna alle moeders verdwijnt bij de kleinste vraag of vaststelling als sneeuw voor de zon: 'Zo, loopt hij eindelijk?' 'Zegt ze echt nog geen mama?' 'Ach, slaapt hij nog steeds niet door? Dat is vreemd.' 'Mijn god, jouw kind weegt weinig.'

Hoewel we het tot een seconde geleden heel normaal vonden dat ons kind nog niet doorslaapt, loopt, eet of praat, slaat plotseling de twijfel toe. Van twijfel is het niet ver naar angst en van angst is het niet ver naar woede. Waarom zegt ze dat? Ze wil me onzeker maken. Ze kan beter naar haar eigen kinderen kijken. En de – meestal onuitgesproken – strijd tussen moeders is losgebarsten.

Als je iets honderd procent zeker weet, maakt het je absoluut niets uit wat andere mensen hierover zeggen. Als ik nu eenmaal graag op het platteland woon, wat maakt het mij dan uit dat een aantal andere mensen absoluut in de stad wil wonen? Daar hoef ik me toch zeker niet voor te verdedigen?

Laat iedereen gewoon op zijn eigen manier gelukkig zijn. Maar als ik me (nog) niet zo heel zeker voel over iets, is dat meteen een heel andere situatie. Een typisch voorbeeld daarvan zijn pas bekeerde rokers. De angst dat ze zelf weer gaan roken maakt hen tot irritante missionarissen.

Aangezien moeders de bangste wezens op aarde zijn, zijn er hier nog meer missionarissen dan onder ex-rokers. En één van de lievelingsbezigheden van een missionaris is nog versere moeders bang maken. Ook al is de zwangerschap vlekkeloos verlopen, toch krijgen ze vermoedelijk te horen: 'Wacht maar, het wordt vast nog heel zwaar in de laatste weken.' En wees niet verbaasd als een vriendin tegen het einde van de zwangerschap zegt: 'Wees blij dat de kleine nog in je buik zit en geniet van je rust. Straks is het gedaan met je mooie leventje.'

Britta is veel van dergelijke betweters tegengekomen:

'Ik heb inmiddels een gloeiende hekel aan moeders met kinderen die ouder zijn dan mijn zoon. Zodra je gelukkig bent met je kind, beginnen ze advocaat van de duivel te spelen. Toen Nico in het begin heel rustig was, werd ik van alle kanten gewaarschuwd dat het nog wel zou veranderen. Toen dat niet gebeurde, zeiden ze: "Wacht maar af tot hij huilt als hij zijn tandjes krijgt."
En zo ging het maar door. Het is nooit half zo erg geworden als de kwade tongen mij ingefluisterd hadden. Ik kan de vele ongevraagde adviezen ondertussen wel naast me neer leggen. Soms denk ik: doe met je eigen kinderen wat je wilt en laat mij met rust.'

Alle moeders krijgen te maken met bemoeienissen zoals deze en nog erger. Het is zinloos je daar druk om te maken en je ertegen te verzetten. Je kunt het het beste gewoon over je heen laten komen. En snel genoeg merk je dan dat je zelf ook niet immuun bent voor dat virus. Want vaak is het voor ervaren moeders echt niet gemakkelijk zich er niet mee te bemoeien.

Elise heeft moeite om zich niet te bemoeien met jonge, hulpeloze moeders:

'Ik heb drie kinderen en de laatste jaren heb ik bijna alle fouten gemaakt die je als moeder kunt maken. Waarschijnlijk komt het daardoor dat ik me amper in kan houden als ik andere vrouwen zie die dezelfde fouten maken. Ik zie mezelf terug in die kersverse moeders die hun kind nerveus wiegen en dan maar weer aan de borst leggen. Ik heb dat zelf ook allemaal gedaan. Maar na drie kinderen hoor ik aan het gehuil of een baby gewoon moe is en rust wil. Ik vind het dan zo zielig voor die kleine. Maar ik herinner me hoe ik me ergerde als andere moeders zich met mij bemoeiden.'

Wat is het toch jammer dat de angst ons zo prikkelbaar maakt. Wat is het jammer dat we daardoor zelfs vrienden kwijtraken en geen goede raad aan kunnen nemen.

Maar de angst is alom tegenwoordig. De voltijds moeder is bang dat ze haar kind overmatig beschermt en de werkende moeder denkt dat ze een slechte moeder is. De moeder die met een keizersnee bevallen is, vraagt zich diep in haar hart af of ze haar kind een existentiële gebeurtenis onthouden heeft. En wie ervoor kiest om thuis te bevallen, vraagt zich heimelijk af of ze geen groot risico neemt.

Een moeder moet iedere dag beslissingen nemen waarvan geen mens de draagwijdte in kan schatten. Niemand kan met absolute zekerheid zeggen wat goed of slecht is. Als we daar aldoor aan zouden denken, zouden we vermoedelijk gek worden. We hebben namelijk zekerheid nodig om te kunnen leven. Zeker met een kind. En dat is de reden waarom we zekerheid simuleren: we doen gewoon alsof er ergens in steen gebeiteld staat dat onze beslissing de goede was. De geschiedenis van de opvoeding toont overduidelijk aan dat de waarheid van gisteren morgen alweer als een vergissing bestempeld kan worden.

We moeten leven met die onzekerheid. Maar de oplossing is niet om zekerheid te simuleren, maar wel om vertrouwen te hebben. Vertrouwen in ons kind, in het leven, in onszelf. De belangrijkste dingen zullen we wel goed doen. En voor de rest moet je jezelf iedere keer voorhouden: het maakt niet zo veel uit.

Het maakt uiteindelijk helemaal niet zo veel uit of we borstvoeding geven of niet. Of we streng zijn of verwennen. Als we ons goed voelen met wat we doen, is er een grote kans dat ons kind floreert. Niet ons slechte geweten is een alarmsignaal, maar ons eigen gevoel. Als je ongelukkig en ontevreden bent met het soort moeder dat je bent, dan wordt het tijd dat je daar iets aan verandert.

Doorloop deze kleine checklist en kijk welke punten op jou van toepassing zijn:

- Je hebt het gevoel dat andere vrouwen het moederschap veel te licht opnemen.
- Te weinig slaap en stress zouden je niet half zo veel kunnen schelen als je kind af en toe tenminste een beetje dankbaarheid zou tonen voor al je harde werk.
- Je vindt dat je werk als moeder veel te weinig erkend wordt door iedereen in je omgeving.
- Je bent verbaasd dat jij toch een vrij goed mens geworden bent, terwijl je moeder toch alles verkeerd deed.
- Je bent jaloers op andere moeders die zo veel onverdiend geluk hebben met hun gemakkelijke kinderen.
- Je praat het liefst over moeilijke kinderen van andere moeders, onder het motto: geen wonder dat de kleine Sofie niet slaapt, dat de kleine Max altijd huilt, dat de kleine Femke altijd verkouden is…
- Je ergert je aan vrouwen die er goed uitzien en die bij klaarlichte dag in een café zitten. Waarom zitten die niet op kantoor? Of bij hun kind? En waarom zien ze er zo ontspannen uit?

- Eigenlijk wil je je er niet mee bemoeien, maar je kunt je gewoon niet inhouden als je ziet dat andere moeders fouten maken.
- Je slaapt wekenlang minder dan zes uur per nacht.
- Je zou willen dat je een paar dagen gewoon uit je leven zou kunnen verdwijnen.

Herken je jezelf? Ieder van ons heeft dagen waarop we bij al deze vragen een sterretje kunnen zetten.

Het wordt problematisch als deze checklist jouw gevoel over een langere periode beschrijft. Dan moet je iets veranderen. Want dan heeft je moederschap iets van je gemaakt, wat je kind niet verdient: een ontevreden moeder. Doe het je kind niet aan dat hij groot wordt met het gevoel dat hij zijn mama ongelukkig gemaakt heeft. Dat is een last die niemand mee mag dragen in het leven.

EasyBaby-regel nr. 82: Hou contact met vrienden die (nog) geen kinderen hebben. Juist omdat zij er niet bij betrokken zijn, zijn zij vaak de beste raadgevers.

EasyBaby-regel nr. 83: Laat de niet-ouders in je omgeving deelnemen aan het leven van je kind. En aanvaard dat ze veel dingen anders doen dan jij. Soms misschien wel beter.

EasyBaby-regel nr. 84: Moeder zijn maakt niet automatisch een beter mens van je.

EasyBaby-regel nr. 85: Ouderschap rechtvaardigt geen onbeleefd of onbehouwen gedrag. Laat je kind zien hoe hij zich moet gedragen om ook geliefd te zijn bij mensen buiten het gezin.

EasyBaby-regel nr. 86: Aanvaard dat je iedere dag beslissingen moet nemen zonder dat je honderd procent zeker bent. Heb vertrouwen in jezelf en vergeet niet: de meeste beslissingen zijn niet doorslaggevend voor het geluk van onze kinderen.

EasyBaby-regel nr. 87: Als we ons goed voelen met wat we doen, is de kans groot dat onze kinderen gedijen. Ons slechte geweten is geen alarmsignaal, maar wel een slecht gevoel in het leven.

Een gezin is geen eiland –
Jouw kind en de anderen

Laten we nu even zeggen dat ik je heb overtuigd en dat je zegt: **EasyBaby** is precies wat mijn kind nodig heeft; zo wil ik het doen, zo moet mijn kind opgroeien. Natuurlijk bespreek je deze beslissing nu met je partner en beweeg je hem ertoe **EasyBaby** samen toe te passen. Dat is belangrijk, want het kan doorslaggevend zijn voor het resultaat dat de ouders samenwerken.

Hoe je vijanden maakt

Schitterend, je partner doet mee! Maar dan? Wat met de andere mensen waar je baby mee in contact komt? De kraamverpleegkundigen thuis of in het ziekenhuis, de grootouders, je vrienden, de babysit, de oppasmoeder? Koop je meteen een hele stapel boeken en geef je iedereen een exemplaar die langer dan vijf minuten met je kind bezig is? Waarschijnlijk niet. Je hebt natuurlijk allang begrepen dat **EasyBaby** eigenlijk heel gemakkelijk en snel uit te leggen is.

Dus misschien neem je je voor om alle mensen in de omgeving van je kind kort jouw opvoedingsfilosofie uiteen te zetten. Of in ieder geval de belangrijkste regels.

Ik wens je er alvast veel plezier ermee. Bereid je maar vast voor op een leven met gespannen relaties met je familie en vrienden. Want bijna iedereen heeft er een hekel aan als hem de les gelezen wordt, en al helemaal als het gaat over een onderwerp waar ze veel vanaf weten – of denken te weten, tenminste.

Denk bijvoorbeeld maar eens aan je eigen moeder, die wellicht niet alleen jou, maar ook nog andere kinderen grootgebracht heeft. Jij wilt haar als onervaren moeder uitleggen hoe je precies met een baby om moet gaan? Dat is uiteraard niet eenvoudig. En bovendien niet altijd een goede zet voor jullie relatie.

Karin is 55. Haar dochter Myriam heeft een zoontje van twee. Karin zegt:
'Ik was heel gekwetst door de uitleg van mijn dochter. Ik weet wel dat ze het niet zo bedoelt, maar ik hoorde alleen maar de boodschap: jij hebt bij mij alles verkeerd gedaan. Hoe kon ik het ook anders begrijpen als Myriam mij geen enkele beslissing toevertrouwt en elke kleinigheid wil bepalen? Alsof ik nog nooit kleine kinderen gezien had. Natuurlijk deden wij veel dingen anders vroeger, maar we hebben toch niet alles verkeerd gedaan? Dan zouden onze kinderen toch niet goed terechtgekomen zijn, nietwaar?'

Ook bij vrienden wordt het steeds moeilijker om wederzijds voor de kinderen te zorgen. Iedereen heeft zijn eigen opvoedingsstijl, die dan zo consequent mogelijk doorgevoerd wordt.

Hoe kun je daar nu mee omgaan? Ik kan het kind van een ander toch niet stipt op tijd naar bed brengen terwijl mijn eigen kinderen nog op mogen blijven? En ik kan dat kind toch geen chocopasta geven op brood, als mijn eigen kinderen müesli moeten eten?

Thuis is thuis

When in Rome, do as the Romans do. Als je in Rome bent, doe dan als de Romeinen. Dit Engelse spreekwoord is perfect van toepassing op de omgang met kinderen. Want kinderen – en zelfs baby's – doen dat instinctief. In tegenstelling tot volwassenen die krampachtig vasthouden aan hun eigen ideeën zijn kinderen echte wonderen op het gebied van aanpassing. Ze verwachten niet dat alles overal hetzelfde loopt. Ze leren welke regels op welke plaats gelden. Als de situatie verandert, gaan ze ervan uit dat de regels ook veranderen.

Dat merken ouders die hun kind naar een oppasmoeder of een crèche brengen. Het middagslaapje of het eten van groenten, dingen die thuis niet lukken, lopen in de crèche plotseling gesmeerd. En het is – jammer genoeg – niet altijd zo dat deze goede gewoonten ook mee naar huis genomen worden. Thuis is thuis en daar gelden andere regels.

Amerikaanse ontwikkelingsonderzoekers hebben een interessant experiment gedaan met zes maanden oude baby's. Ze legden de baby's in een wieg waar een mobile boven hing. De mobile was met een draad met de voet van de baby verbonden: als het kind zijn voet bewoog, dan bewoog ook de mobile. De slimme kleintjes hadden dat verband al snel door en lieten de mobile met veel enthousiasme bewegen. En ze konden zich duidelijk herinneren hoe ze dat deden, want toen ze twee weken later opnieuw in die wieg gelegd werden, gingen ze meteen weer met de mobile spelen.

Bij de volgende proef veranderden de onderzoekers iedere keer kleine dingen: de wieg werd met een andere stof bekleed of er werden andere figuren aan de mobile gehangen. Wat de wetenschappers ook veranderden, er gebeurde iedere keer hetzelfde: de baby's lagen naar de mobile te kijken zonder te begrijpen wat het was. Geen enkele baby kwam op het idee om de mobile te bewegen. Ze konden geen van allen de aangeleerde vaardigheden overdragen naar de nieuwe situatie. Baby's gaan er dus blijkbaar automatisch van uit dat een nieuwe omgeving ook nieuwe regels betekent.

Wat betekent dit voor onze dagelijkse omgang met onze baby's? Dat we ons weer kunnen ontspannen. Het is gewoon niet zo belangrijk hoe andere mensen met onze baby omgaan. Het is belangrijk dat ze goed voor hem zijn, maar het is niet belangrijk op welke manier ze dat doen. Als je beste vriendin de baby de hele dag op haar arm draagt, verwacht hij dan dat jij dat de volgende dag ook doet? Niet als je het gewoon niet doet. Als de oppasmoeder je baby tussendoor appelsap geeft om te drinken, wil hij dan thuis ook appelsap in plaats van water? Niet als hij thuis nooit appelsap krijgt. Als de baby zich bij zijn oma heel braaf en stil een nieuwe luier aan laat doen, zal hij dan thuis ook zo braaf zijn als jij het wilt doen? Het antwoord daarop ken je.

Het vermogen om een onderscheid te maken tussen verschillende situaties en zich in iedere nieuwe situatie weer opnieuw aan te passen, kan heel belangrijk zijn voor baby's. Denk bijvoorbeeld aan de moeder die lijdt onder een postnatale depressie. Als die moeder haar kind zelf opvoedt, vertoont het kind na een paar maanden ook tekenen van depressie. Maar hij vertoont die tekenen alleen als hij bij zijn moeder is. Als hij door een andere, niet-depressieve persoon opgevangen wordt, gedraagt hij zich volledig normaal.

Vraag het maar aan ervaren ouders: iedere moeder en vader zal bevestigen dat kinderen goede gewoonten nooit mee naar huis nemen. Er zijn driejarigen die met hun tante zonder problemen een uur lang kunnen wandelen, maar bij mama na een paar minuten al in de buggy willen zitten. Er is de tweejarige die thuis al een jaar geen middagslaapje meer doet, maar bij de oppasmoeder stipt om 13 uur zelf in bed gaat liggen. En er is de vierjarige die tijdens de vakantie regelmatig één of twee kilo afvalt omdat zijn ouders hem er niet toe kunnen bewegen om te eten. Maar de juffen op school zeggen dat hij probleemloos alles eet wat hij krijgt.

Toch zijn ouders bang dat hun complete opvoeding misloopt als anderen zich niet stipt houden aan de regels die zij voor hun kind voorop stellen.

Vergeet het maar. Begin je omgeving niet te terroriseren. Je hoeft helemaal niet bang te zijn dat anderen jouw opvoeding dwarsbomen. Zelfs als ze dat zouden willen, dan nog kunnen ze het niet. Want thuis is thuis en daar gelden thuisregels. Dat weet ook een baby heel goed.

Je kent het fenomeen vermoedelijk zelf ook wel. De meeste mensen gedragen zich in hun eigen gezin heel anders dan daarbuiten. Een vrouw is in haar volwassen leven wellicht zelfbewust, actief en positief ingesteld. Maar als ze een weekend bij haar ouders is, merkt ze hoe ze elk uur meer terugvalt in het kind dat ze vroeger was, het kind dat zich ergert aan haar moeder en aandacht wil van haar vader.

Andrea is er intussen aan gewend dat ze bij haar familie ook met haar 41 jaar nog steeds terugvalt in de oude patronen:

'Ik ben de jongste van vijf kinderen en het enige meisje. Ik ben dan ook ontzettend verwend. De keerzijde is dat ik weinig vertrouwen heb gekregen. Thuis had en heb ik de rol van het tengere kleine meisje dat beschermd en verwend moet worden. Die rol heb ik buiten ons gezin niet. Ik kan mezelf eigenlijk heel goed manifesteren en laat niet vaak over me heen lopen.

Dat zien mijn ouders en mijn broers tot op de dag van vandaag niet, geloof ik. Want als we samen zijn, ga ik me automatisch heel anders gedragen. Ik merk zelfs dat mijn stem dan verandert. Ik praat dan zachter en hoger. Maar aangezien ik er zo nu en dan van geniet om weer eens het kleine meisje te zijn, heb ik eigenlijk geen probleem met deze rolverwisselingen.'

Natuurlijk moet je je kind alleen achterlaten bij mensen die je vertrouwt. Maar zorg dan dat je ook echt vertrouwen hebt en geef geen verdere richtlijnen. Dat is ook in het belang van je kind, want zijn leven wordt door oma, tante of de oppasmoeder veel rijker. Iedereen geeft je kind iets anders, toont hem iets anders. Laat dat toe. Verlang niet dat die andere mensen zo veel mogelijk op jou lijken, maar laat je kind het leven in al zijn diversiteit ervaren.

> **EasyBaby-regel nr. 88:** Thuis gelden de thuisregels, ergens anders gelden andere regels.
>
> **EasyBaby-regel nr. 89:** Goede gewoonten worden niet meegenomen naar huis. Maar slechte gewoonten gelukkig ook niet.

Waarom opvoeding zinloos is –
Jouw voorbeeld doet meer
dan je woorden

Onze grootouders en ouders hebben dezelfde wens: hun kinderen moeten het ooit beter doen. Wij zijn die kinderen. We zijn opgegroeid in vrede en rijkdom. Het gaat ons zo goed dat de meesten onder ons blij zijn als onze kinderen onze levensstandaard kunnen behouden.

Mama's lievelingsspel: de perfecte moeder

Toch willen wij ook dat onze kinderen het beter doen dan wij. Ze moeten ontzettend slim worden, graag verschillende instrumenten bespelen, veel sport doen en vooral gezonde voeding eten, verder zelfbewust en gelukkig zijn, communicatief en creatief. Om dat doel te bereiken, lezen we boeken over opvoeding, volgen we cursussen voor ouders en zoeken we de beste school om onze kinderen te stimuleren.
Tevergeefse moeite. Want kinderen leven niet naar onze plannen, maar naar ons voorbeeld. Lise Eliot, een Amerikaanse neurologe, heeft vastgesteld: 'Het is niet het onderwijs dat we hun geven, maar ons voorbeeld dat de grootste invloed heeft op de cognitieve vaardigheden van een kind en zijn latere successen in het leven.' Als je zelf niet vaak van je stoel komt, zul je de grootste moeite hebben om je dochter te laten sporten. En als je zelf agressief bent, maak je van je zoon ook geen zachtaardig type. Zelfs de allerkleinsten hebben een fijn gevoel voor eerlijkheid en authenticiteit. Water prediken en wijn drinken, dat werkt niet bij kinderen.

Moeders met kinderen die slecht eten, kennen de macht van het voorbeeld. Stefanie bijvoorbeeld:

'Met mijn dochters herhaalde zich een gedeelte van mijn eigen jeugd. Ze eten allebei weinig en liefst ongezond. Ik voer dus dezelfde strijd die mijn moeder met mij gestreden heeft. Ik heb haar gehaat omdat ze me met beloften en dwang aanzette tot eten: eerst je groenten opeten, anders mag je vanavond niet naar de televisie kijken. Eerst je bord leeg, anders is er geen dessert. Wat had ik daar een hekel aan. En nu doe ik hetzelfde. Ik weet echt geen andere oplossing. De meisjes zijn zo mager en ze hebben toch vitaminen nodig.

Aan de andere kant begrijp ik ze zo goed. Ik eet zelf tot op de dag van vandaag niet graag groente en sla. Als het aan mij lag – en ik niet op mijn lijn zou moeten letten – aten we elke dag fastfood. Frieten en hamburgers, pizza en chocolade, heerlijk! Sinds ik kinderen heb, eet ik dat soort dingen alleen nog maar stiekem. Ik wil vooral niet het slechte voorbeeld geven.'

Zoals je ziet, heeft het geen zin om stiekem te zondigen. Op een of andere manier hebben kinderen de gave hun ouders tot in het diepste van hun ziel te doorzien. Ze voelen intuïtief aan hoe we echt zijn, hoe het echt met ons gaat en wat we werkelijk geloven. Doen alsof – om zogenaamd pedagogische redenen – heeft geen zin.

Toch proberen we het iedere keer weer. Want de veel te hoge verwachtingen die door anderen en vooral door onszelf aan moeders gesteld worden, geven ons het gevoel dat we eigenlijk niet goed genoeg zijn. We voelen ons verplicht om veel beter te zijn. En daarom spelen we dan een rol. De rol van de perfecte moeder. Geduldig, vriendelijk, vrolijk, onbaatzuchtig. We tellen hoe vaak we onze liefde tonen, in plaats van te knuffelen, te strelen en kussen als dat gevoel in ons opkomt. En we prijzen ons kind niet alleen als we daar behoefte aan hebben maar als we vinden dat het er weer eens tijd voor is. Dat noemen we dan opvoeding.

Maar de gevoelens die we tonen hebben daardoor steeds minder te maken met de gevoelens die we echt voelen. Deze inflatie van gespeelde gevoelens heeft hetzelfde gevolg als elke inflatie: ontwaarding. Als ik voortdurend geprezen word omdat mijn moeder zich daartoe verplicht voelt – wat is die lof dan nog waard?

Het ik-ben-de-perfecte-moeder-spel – ook wel opvoeding genoemd – is niet alleen zinloos, maar ook schadelijk. Want wat gebeurt er als we een goed humeur voorwenden terwijl we verdriet hebben of als we doen alsof we het spelletje leuk vinden terwijl we ons dood vervelen? Het kind merkt dat wat hij ziet niet klopt met wat hij voelt. Maar hij zoekt de fout niet bij ons, maar bij zichzelf. Hij raakt verward en vertrouwt niet meer op zijn eigen waarnemingen.

De inschatting of iemand een vriend of een vijand is, of een situatie veilig of gevaarlijk is, is normaal geen kwestie van verstand maar van intuïtie. Iemand die zijn intuïtie niet vertrouwt, moet terugvallen op zijn verstand. Een grote handicap. Een verstandelijke analyse duurt namelijk niet alleen langer, maar die is ook niet zo trefzeker. Steeds meer opvoedingsdeskundigen en psychologen zijn er daarom van overtuigd dat authenticiteit in de relatie tussen ouders en kinderen belangrijk en noodzakelijk is. Voor het kind is het beter om de waarheid onder ogen te zien dan een luchtspiegeling te zien. Een kind heeft namelijk vooral zekerheid nodig. Ook als het om zijn gevoelens gaat. Hij moet kunnen leren dat hij op zijn gevoelens mag vertrouwen: ik merk dat mama verdrietig is – en ze kijkt inderdaad verdrietig.

Kinderen zijn fanatiek eerlijk

Ga niet in tegen de goed werkende intuïtie van je kind. Durf gerust eerlijk te zijn. Dat betekent niet dat je elk gevoel maar ongeremd uit moet leven. Integendeel, negatieve gevoelens zoals woede, agressie of verdriet moet je tegenover je kind heel goed in de hand houden, want een baby kan een woedeaanval niet verwerken of plaatsen. Het gaat niet om het uitleven van je gevoelens, maar om de eerlijkheid. Schreeuw niet tegen je kind als je boos bent, maar doe ook niet alsof alles in orde is.

Het is perfect in orde om tegen een kind te zeggen dat je op dat moment geen zin hebt om voor te lezen of met auto's te spelen. Het is goed als je zegt dat je nu graag iets anders wilt doen. En sjoemel niet, zeg niet: 'Ik kan dat nu niet voor je doen', of 'Ik heb geen tijd'. Zeg het gewoon zoals het is: 'Ik wil nu iets anders doen en dan…' Voor je kind is het een belangrijke ervaring om te ontdekken dat ook andere mensen wensen hebben. Wensen die hij moet respecteren. Sta op je wensen – en doe dat zonder schuldgevoel. Want dan zou je je kind leren dat je je moet schamen voor je wensen.

Misschien denk je nu dat je baby nog veel te klein is om te begrijpen dat mama nu rustig haar koffie op wil drinken. Misschien wel. Maar als je wacht tot je over deze dingen met je kind in discussie kunt gaan, is het te laat. Dan heeft je kind al geleerd dat mama een wezen is zonder eigen wensen en zonder sterke persoonlijkheid.

Als je eerlijk bent, is dat niet alleen goed voor je kind, maar op termijn ook voor jezelf. Want waar staan we als we thuis ook nog een rol moeten spelen? Als we nergens meer onszelf mogen zijn? Zelfs niet tegenover de mens die ons het liefst is? Wat blijft er dan nog over van de persoon die we echt zijn?

Je kind is niet in deze wereld geboren om met een politiek correcte, pedagogisch waardevolle opvoedster samen te zijn, maar hij kwam bij jou, zijn moeder. Om bij jou te zijn zoals jij bent. Met al je goede kanten, maar ook met al je zwakke punten. Je kind heeft het recht om jou zelf te zien – en niet de opgepoetste, niet-realistische versie die je hem misschien wel liever zou laten zien.

Als je jezelf bent en jezelf als moeder aanvaardt en laat zien wie je bent, zal het ook gemakkelijker voor je zijn om je kind te nemen zoals hij nu eenmaal is – in plaats van er een opperwezen van te willen maken. Dan laat je hem kruipen tot hij zelf zijn eerste stapjes wil zetten. Dan wil je hem niet tegen elke prijs gelukkig zien, maar laat je hem huilen als hij dat wil. En als hij valt zeg je niet: 'niets gebeurd, schat, sta maar gauw weer op', maar laat je je kind zelf bepalen of hij zich zeer gedaan heeft of niet.

EasyBaby heeft veel met respect te maken. Respect voor de persoonlijkheid van je kind, maar ook respect voor wie je zelf bent. Verloochen jezelf niet. Kom op voor je wensen. Aanvaard je zwakke punten. En je grenzen. Je moet leren om met je kind samen te leven. Maar dat samenleven is geen eenrichtingsverkeer. Je kind moet ook leren met jou te leven. Je kunt alleen maar de moeder zijn die je bent. Dat lijkt je soms misschien te weinig, maar het is precies wat je kind nodig heeft.

Als je nu eenmaal niet graag voorleest, dan kun je je kind zo nu en dan best wel dat plezier doen, maar voel je niet verplicht op dat gebied hetzelfde te doen als andere moeders. Kijk liever wat je sterke punten zijn.

Je leest misschien niet graag voor, maar gaat wel graag naar de speeltuin. Doe wat je goed en met plezier doet. En zoek mensen die met je kind de dingen doen die jou zelf niet liggen. Een kind heeft gelukkig niet alleen een moeder, maar meestal ook een vader, een tante, een opa, een zus of een oppasmoeder – en daar zit misschien wel iemand bij die graag voorleest.

Marina heeft het knutselprobleem opgelost:

'Ik ben absoluut niet creatief. In ieder geval niet als het erom gaat dingen zelf te maken. Knutselen is voor mij een nachtmerrie. Ik bak ook niet graag en doe geen handenarbeid. Waarom zou ik zelf taarten bakken als je ze op elke straathoek kunt kopen? Op deze manier ben ik uitstekend door het leven gekomen. Totdat ik kinderen had.

Vanaf de geboorte ben je bijna veroordeeld om dingen zelf te maken. Het begint al met een origineel geboortekaartje en stopt lang niet altijd bij zelf geknutselde lantaarns.

Ik kan het gewoon niet. En ik wil het ook niet. Ik raak in een slecht humeur op het moment dat ik alleen maar gekleurd papier en lijm zie. Maar ik vind het voor kinderen wel belangrijk dat ze knutselen. Dus mobiliseer ik alle knutselaars in mijn familie en vriendenkring voor de kinderen. Oma bakt kerstkransjes en ver- jaardagstaarten met ze. Met mijn vader mogen ze in zijn knutselkelder rommelen en mijn zus neemt Halloween en de uitgeholde pompoen op zich. Met Pasen heb ik een paar vriendinnen met kinderen uitgenodigd om eieren te beschilderen. Ik zorgde voor de drankjes en mijn vriendinnen hebben met de kinderen geknut- seld. Zo was het voor iedereen een leuke middag.'

Een goede oplossing. In ieder geval veel beter dan tandenknarsend en met een rothumeur zelf te knutselen. Als je jezelf namelijk dwingt om iets te doen waar je helemaal geen zin in hebt, kun je niet verhinderen dat je verwachtingen kweekt. Je verwacht dan bijvoorbeeld dat je kin- deren plezier hebben en het niet na een half uur al zat zijn. Dat ze mis- schien een beetje dankbaarheid tonen. Dat kan gewoon niet goed gaan. En bovendien is het oneerlijk.

En kinderen zijn fanatiek eerlijk. Je kind is nog wel te klein om de tegenspraak tussen wat je zegt en wat je doet onder woorden te brengen, maar vanaf een jaar of vier verandert dat. Kinderen zijn er heel goed in om te zorgen dat ook andere mensen alle mogelijke geboden en verboden respecteren: 'Mama, waarom draag jij geen helm op de fiets?' 'Papa, je mag toch niet "shit" zeggen?' Of: 'Ik mag geen ruzie maken met andere kinderen, maar jullie maken ook ruzie.' Dat zijn vragen en commentaren die je nu nog niet krijgt. Maar waarom zou je pas beginnen met gerechtigheid op het moment dat je kind dat soort dingen kan benoemen?

Zelfs heel kleine kinderen kunnen begrijpen dat er voor kinderen vaak andere regels gelden dan voor volwassenen. Het is duidelijk dat kinderen vroeger naar bed moeten omdat ze meer slaap nodig hebben. Maar ze vinden het oneerlijk als papa zijn jas op de stoel gooit terwijl ze zelf hun jas aan de kapstok moeten hangen. En dat is ook niet eerlijk, nietwaar? Meet dus alleen met twee maten als dat ook terecht is. En het liefst vanaf het begin. Niet pas als je kind je er verwijten over kan maken.

Aanvaard jezelf als moeder zoals je bent. Dat geldt niet alleen voor de kleine dingen in het dagelijkse leven. Als je het nu eenmaal niet leuk vindt om voltijds moeder te zijn, probeer jezelf daar dan niet toe te dwingen. En als je geen zin hebt in de evenwichtsoefening tussen werk en gezin, wees dan gerust met heel je hart huismoeder. Zonder slecht geweten.

Want wat is een geslaagde opvoeding? Dat is toch een opvoeding die een gelukkig mens maakt van je kind. Maar hoe je gelukkig wordt, dat kun je je kind niet uitleggen of aanleren. Dat kun je hem alleen maar laten zien. Als je hem laat zien hoe je je voor andere opoffert, dan toon je hem hoe je een martelaar wordt. Maar als je dingen doet die jou gelukkig maken, als je zelf gelukkig bent, dan is er een grote kans dat je kind ook het geluk vindt in zijn leven.

EasyBaby-regel nr. 90: Speel je kind geen gevoelens voor. Je kind merkt dat er iets niet klopt, maar hij leert dat hij zijn eigen waarnemingen niet kan vertrouwen.

EasyBaby-regel nr. 91: Sta op je wensen – zonder schuldgevoel. Zo leert je kind rekening te houden met anderen. En hij leert dat het goed is om ook voor zichzelf te zorgen.

EasyBaby-regel nr. 92: Je kind heeft het recht de persoon te leren kennen die je echt bent, en niet een opgepoetste 'pedagogisch waardevolle' versie van jezelf.

EasyBaby-regel nr. 93: Je kunt alleen maar de moeder zijn die je bent. Respecteer je grenzen. In grote en kleine dingen.

EasyBaby-regel nr. 94: Doe wat je gelukkig maakt. Wees gelukkig. Want dat is de enige manier om je kind op te voeden tot een gelukkig mens.

Mijn baby heeft me nodig –
Mijn behoeften, jouw behoeften

'Waarom wil een vrouw een kind?' vraagt de bioloog Midas Dekkers. 'Een vrouw wil een kind omdat ze moeder wil worden', geeft hij zelf het antwoord. De baby heeft geen moeder nodig, maar door ons verlangen om moeder te worden, hebben wij een baby nodig.

Wie heeft wie nodig?

De beslissing om een kind te krijgen – als je tenminste niet ongewenst zwanger wordt – is in eerste instantie egoïstisch. *Wij* willen een kind, *wij* hebben een kinderwens. We krijgen het kind niet om hem een plezier te doen – want dit kind bestond nog niet voor onze beslissing – maar om onszelf een plezier te doen. We verwachten wat van dat kind. Het moet ons iets geven.

In tegenstelling met vroeger is het tegenwoordig niet vanzelfsprekend of economisch noodzakelijk om kinderen te hebben. Het is, zoals de sociaalpsycholoog Herrad Schenk zegt: '… in zekere zin een hobby die iets mag kosten, terwijl andere mensen andere hobby's hebben.' Of je nu kiest voor kinderen of juist niet, in beide gevallen wil je eerst en vooral iets voor jezelf: 'ervaringen, gevoelens, emotionele verrijking – alleen verwacht de ene mens dit te krijgen door samen te leven met zijn kinderen, terwijl de andere mens dat ergens anders gaat zoeken.'

De generatie van onze moeders zag kinderen nog als een soort belemmering voor de persoonlijke ontwikkeling en de emancipatie van de vrouw. Inmiddels is dat standpunt omgedraaid. Tegenwoordig ontwikkelt een moeder haar persoonlijkheid juist dankzij haar kind. Kinderloosheid is weer een blamage geworden, net als lang geleden. Het voorbeeld van de Duitse Bondskanselier Angela Merkel toont aan dat professionele resultaten weinig betekenis hebben als je geen kind hebt. De vroegere Britse premier Margaret Thatcher is ervan overtuigd dat ze zonder haar twee kinderen nooit verkozen zou zijn. Zij gelooft dat de mensen een vrouw, die niet bewezen heeft dat ze een succesvolle moeder is, niet vertrouwen. Een kinderloze vrouw, en zeker een kinderloze carrièrevrouw, is op een of andere manier verdacht.

Niet alle vrouwen zijn zo eerlijk als Maaike als ze uitlegt waarom ze een kind wilde:

'Ik wilde om allerlei redenen een kind: omdat ik van kinderen hou; omdat ik vind dat kinderen nu eenmaal bij het leven horen; omdat ik niet langer een paar maar een gezin wilde zijn. Maar ik wilde ook dat er nog eens iets veranderde in mijn leven. Het idee dat het altijd zo zou blijven tot aan mijn pensioen… Ik vond dat het leven meer moest zijn. Iets wat meer betekenis geeft dan projecten af te werken en met domme collega's en moeilijke bazen om te gaan. Als ik eerlijk ben, wilde ik gewoon uitbreken. Ik wilde een nieuw leven. En dat heb ik ook gekregen.

Moeder zijn is zeker niet altijd zo leuk als ik het me voorstelde. Maar dan kijk ik eens naar een paar collega's die geen kinderen hebben. Dan weet ik meteen weer zeker dat ik de goede beslissing genomen heb. Hun eenzame leven zou ik niet willen. Ik zal nooit voor iemand zo belangrijk zijn als voor mijn kinderen. Niet voor mijn partner en zeker niet voor de firma.'

Het is heel heilzaam je zo nu en dan te realiseren dat je met je kinderen een grote wens vervuld hebt. Dat je kind veel voor je doet. Want in de tredmolen van het dagelijkse leven hebben veel vrouwen de indruk dat ze alleen maar geven, geven, geven. De baby lijkt wel een vat zonder bodem, hij neemt, neemt, neemt. En als het kind dan al geen dankbaarheid toont, moet de maatschappij in ieder geval erkennen wat we dag na dag doen en moet de staat ons steunen.

Er is niets tegen erkenning van de maatschappij en steun van de staat. Moeders hebben dat zonder twijfel allebei nodig. Maar in die strijd ontstaat vaak de indruk dat het moederschap een bijna ondraaglijke vreugde is die met geen geld of mooie woorden te betalen is. Het is niet zo erg dat niet-moeders deze indruk krijgen, maar wel dat veel moeders zelf dit beeld van de martelares beginnen te geloven. Natuurlijk is het vaak vermoeiend, maar in de allereerste plaats is het toch een prachtig geschenk.

Het is onze taak de behoeften van onze baby te vervullen. En daarmee vergeten we dan al vlug dat de baby ook een aantal van onze behoeften vervult. Het probleem is dat het voor veel moeders in de loop van de tijd moeilijker wordt om een onderscheid te maken tussen hun eigen behoeften en die van hun kind. Veel van wat we eigenlijk voor onszelf willen, wordt afgedaan als behoeften van het kind. Niet uit kwade wil, maar gewoon omdat we niet meer precies weten waar de baby begint en waar wij ophouden. Misschien komt het doordat we de baby zo lang in onze buik gedragen hebben: ons kind staat zo dicht bij ons, dat we het ook na de geboorte vaak nog als een deel van onszelf zien.

Automatisch zoeken bijna alle moeders een dekentje voor hun kind als ze het zelf koud hebben. Een te grote identificatie met je kind werkt natuurlijk ook omgekeerd: pas als de baby helemaal tevreden is, beginnen wij ons te ontspannen. Omgekeerd schiet onze bloeddruk omhoog zodra de baby een teken geeft dat hij zich niet helemaal goed voelt. Als dit wonderbaarlijke kind lacht, kruipt of 'mama' leert zeggen, is het alsof we in één keer ons diploma behaald hebben. Maar o wee als iemand kritiek durft te hebben op ons kind. Dan voelen we ons meteen aangevallen. De vraag of de kritiek misschien terecht is, stellen we pas als laatste – als we hem al stellen.

Dat deze overgevoeligheid wel degelijk te maken heeft met een te grote identificatie, blijkt doordat andere opvoeders veel gelatener reageren op de kritiek. Wie zelf de moeder niet is, voelt zich meestal door kritiek op het kind helemaal niet aangesproken. Het kind is gewoon wie het is. Wat heeft dat met mij te maken? De meeste vaders voelen het trouwens ook zo. Zij identificeren zich niet met hun kind. 'Mijn kind is moeilijk? Kan wel. Zo zie je wat een goede vader ik ben, ik kan toch met hem overweg.' Het is ondenkbaar dat een moeder zo reageert.

Sommige psychologen denken dat de moeder zichzelf ziet als een eenheid met haar kind en daardoor zijn haar goede zorgen niet onbaatzuchtig maar egoïstisch. Mama is de baby. De baby is mama. Als we voor de baby zorgen, zorgen we voor onszelf. Een moeder die haar leven geeft om haar kind te redden, handelt volgens die psychologen eigenlijk verstandig, want ze redt het deel van zichzelf dat de grootste kans heeft om te overleven.

Of het nu voor de moeder al dan niet zo is, voor het kind is het heel anders. Het kind heeft een paar maanden nodig om te ontdekken dat het een zelfstandig individu is. Maar dan is het proces onomkeerbaar. Het kind blijft wel heel lang afhankelijk van zijn moeder, hij heeft zijn moeder nodig om zijn behoeften te bevredigen, maar dat betekent nog niet dat zijn behoeften identiek zijn aan die van jou.

Je kind met respect behandelen betekent dus dat je hem als zelfstandig individu behandelt. Dat betekent ook dat je jezelf iedere keer weer afvraagt: wat wil de baby echt? En waar begin ik mijn eigen ideeën, verlangens en behoeften op mijn kind te projecteren?

Het onderscheid tussen mijn en jouw behoeften is moeilijk. Niet alleen bij eenvoudige vragen zoals: 'Heb ik het alleen koud, of heeft mijn baby het ook koud?' Het wordt helemaal onoverzichtelijk bij de vaststelling: 'Mijn baby heeft mij nodig.' Wie heeft wie nodig? Veel vrouwen voegen hier nog graag de zin aan toe: 'Ik krijg toch geen kind om het dan zo snel mogelijk weer weg te doen.' Valt het je op dat de baby niet in het middelpunt staat van deze redenering, maar de moeder? Gaat het hier niet meer om bezitterigheid van de moeder (ik heb het kind gekregen; ik wil er dus ook wat aan hebben) dan om de behoeften van het kind?

Ook de wens dat ons kind het beter krijgt dan wij zelf heeft veel te maken met onze eigen behoeften. Met het kind proberen we de wonden uit onze jeugd te helen. Het is een soort tweede kans voor het kind in onszelf. Voor veel moeders is het kind ook een afrekening met hun eigen ouders: 'Kijk maar. Ik zal ze eens laten zien hoe het echt moet.'

Als het kind de tekorten uit onze eigen jeugd moet compenseren, heeft dat een niet te onderschatten nevenwerking: we zetten onszelf extra onder druk. Wat als we die tweede kans verprutsen? Wat als ons kind zijn jeugd achteraf helemaal niet zo fantastisch vindt? Zal hij ons later verwijten maken?

Een kind komt nu eenmaal niet op de wereld om onze behoeften te vervullen. Dat is gewoon zijn taak niet. Het kind is niet van ons, maar alleen van zichzelf. Hij moet ons niet gelukkig maken. Hij hoeft ons leven geen zin te geven. En hij is zeker niet verplicht onze tekorten goed te maken, onze dromen waar te maken en onze strijd opnieuw te strijden. Het is belangrijk om dat te weten. Maar we hebben er eigenlijk heel weinig aan. We kunnen toch niet verhinderen dat we behoeften hebben en dat we verwachtingen koesteren van ons kind. Maar we kunnen wel verhinderen dat onze verwachtingen te veel macht over ons – en ons kind – krijgen door onze verwachtingen realistisch te houden.

'Ik moet, wil, verwacht...'

Doe jezelf en je kind het plezier om na te gaan wat je van hem verwacht. Sta jezelf toe om bepaalde dingen van je kind en van het moederschap te verwachten. Het is geen misdaad om dergelijke behoeften te hebben, het is heel normaal. De behoeften vormen niet het probleem. Er komen pas problemen als we die behoeften gaan verloochenen. Want daardoor zullen ze zeker niet verdwijnen. Ze duiken weer op onder het mom van zorgen voor je kind.

Ga eens zitten en schrijf rustig op welke verwachtingen je hebt van het moederschap. Wees moedig en schrijf ook de dingen op die niet zo goed klinken.

Voorbeeld:
- Ik wil iemand hebben voor wie ik het middelpunt van de wereld ben.
- Ik wil dat mijn leven verandert.
- Ik heb een reden nodig om 's morgens op te staan.
- Ik hoop dat het kind mijn huwelijk redt.
- Al mijn vriendinnen hebben kinderen. Zonder kind voel ik me buitengesloten.
- Ik heb iets nodig buiten mijn werk.
- Ik wil niets missen in het leven – ook niet de mogelijkheid om moeder te worden.
- Ik wil iemand hebben die net zo is als ik.

- Ik wil weer met poppen spelen.
- Ik wil een spoor nalaten op de wereld.
- Ik wil niet alleen zijn als ik oud word.
- Ik heb een erfgenaam nodig voor mijn zaak.
- Ik wil dat er altijd iemand voor me is.
- Ik wil mijn leven zin geven.
- Ik wil dat iemand me bewondert.
- Ik wil dat de vader van het kind met me trouwt.
- Ik wil bewijzen dat je succesvol kunt zijn op je werk – en ook een goede moeder.
- Ik vind geen werk en heb een nieuw project nodig in het leven.
- Ik wil iemand om te knuffelen en te verzorgen.
- Zonder kind ben ik geen echte vrouw.
- Ik wil regelmaat in mijn leven krijgen.
- Ik wil wat ik ben kunnen doorgeven.
- Ik wil dat iemand onvoorwaardelijk van me houdt zoals ik ben.
- Ik wil jong blijven met mijn kinderen.
- Mijn man wil een kind.
- Ik wil een gezin met een kind, een huis, een tuin en een hond.
- Ik wil met iets anders bezig zijn dan met mezelf.
- Het kind moet mij gelukkig maken.

Wees niet bang. Je hoeft deze lijst aan niemand te laten zien. Het gaat er alleen maar om zelf duidelijkheid te krijgen. En verder is het echt zinloos om je te schamen voor je wensen. Je hebt ze nu eenmaal niet zelf uitgezocht.

Het is heel behulpzaam als je ontdekt welke verwachtingen je verbindt met een kind. Ook en vooral als het een beetje vreemde verwachtingen zijn. Stel dat je vaststelt dat het moederschap voor jou vooral met een bepaalde levensstijl verbonden is: een huis buiten de stad, twee schatten van kinderen, een hond voor de open haard en een kat in de breimand. Dan ben je al veel verder dan de meeste moeders. Dan weet je dat je niet tegen elke prijs een huis wilt omdat de kinderen een tuin nodig hebben, maar omdat dit strookt met jouw idee van een goed leven. Je weet dan dat je het vrolijke stadsleven niet voor je kind opgegeven hebt. Onderschat niet wat dit betekent voor je eigen gevoel van tevredenheid en voor het geluk van je kind. Martelaressen zijn treurige figuren. En geen enkel kind wil een martelares als moeder.

Als je ontdekt dat je verwachtingen van je kind overdreven of onrealistisch zijn – het kind moet mij bijvoorbeeld gelukkig maken of mijn leven zin geven – heb je wel een grote stap gezet. Want pas als je zelf weet wat jouw behoeften zijn, krijg je de vrijheid om ze opzij te zetten. Pas als je weet dat je verwacht dat je kind je gelukkig maakt, kun je afstand nemen van deze wens. Maar zolang je je niet bewust bent van deze verwachting, is het gevaar groot dat je een moeder wordt die voortdurend teleurgesteld en ontevreden is.

Een kind komt niet op de wereld om onze verlangens te vervullen. En toch kan een kind ons veel geven. Het is gewoonweg overweldigend als je de liefde van een kind voelt. Het beste wat je ego kan overkomen, is de manier waarop een kind je bewondert. Maar deze prachtige gevoelens zijn een soort geschenken die in onze schoot vallen. We moeten er dankbaar voor zijn, maar het is niet iets wat ons toekomt alleen omdat we moeder zijn geworden. Ons kind is niet verplicht van ons te houden. Het is zelfs zijn recht ons ook te mogen haten. En dat hij ons nodig heeft, is van voorbijgaande aard. Niemand heeft het recht om deze periode ook maar één dag kunstmatig te verlengen.

Hoe meer je je kind ziet als je voornaamste of zelfs enige doel in je leven, hoe groter je verwachtingen worden. En hoe moeilijker je het onderscheid kunt maken tussen zijn en jouw behoeften. En hoe moeilijker het voor jou wordt om de moeder te zijn die je kind nodig heeft. Hoe meer je daarentegen erkent dat je zelf een mens bent met behoeften, hoe serieuzer je je eigen behoeften neemt en hoe beter je voor jezelf zorgt, des te minder verwacht je van je kind en des te beter word je als moeder.

EasyBaby-regel nr. 95: Behandel je kind met respect door te aanvaarden dat het een zelfstandig mens is – en geen verlenging van zijn moeder.

EasyBaby-regel nr. 96: Maak een onderscheid tussen wat je baby wil en wat je zelf wilt. Projecteer je eigen ideeën, wensen en behoeften niet op je baby.

EasyBaby-regel nr. 97: Je kind is niet op de wereld gekomen om te voldoen aan jouw verwachtingen.

EasyBaby-regel nr. 98: Je kunt niet verhinderen dat je dingen verwacht van je kind. Maar je kunt wel verhinderen dat die verwachtingen je in hun macht krijgen. Probeer eerlijk na te gaan wat je van je kind verwacht. Want alleen zo kun je afstand nemen van die verwachtingen.

EasyBaby-regel nr. 99: Alles wat ons kind ons geeft – liefde, tederheid, bevestiging, zin – is een geschenk. Het is niet iets dat ons toekomt.

EasyBaby-regel nr. 100: Hoe beter je voor jezelf en je behoeften zorgt, hoe minder je van je kind verwacht en hoe beter je wordt als moeder.

Geniet van je baby!

Een baby krijgen is het mooiste wat een mens kan overkomen in zijn leven. Een wonder dat je nooit helemaal kunt bevatten. Een onuitputtelijke bron van geluk. Een ongrijpbaar privilege.

Geniet met volle teugen van dit geluk. Als je later ooit terugkijkt, zul je merken dat de tijd waarin je je leven deelt met een kind, heel kort is. Geniet van deze tijd met je baby. Geniet voluit van elke aanraking, elke lach, elke blik.

Dit boek toont je dat het moederschap geen martelaarsbestaan hoeft te zijn. Dat het niet normaal is als kinderen voortdurend moeilijk en moeders permanent over hun toeren zijn. Dit boek leert je de kunst van het minder-doen – en laat je daardoor ontdekken wat er in ieder van ons zit: het vermogen om heel ontspannen een goede moeder te zijn.

Jammer genoeg zijn mensen niet gemaakt om permanent gelukkig te zijn. Zelfs als onze wildste dromen vervuld worden, zakt ons geluksgevoel na een tijdje toch weer af naar het oorspronkelijke niveau. En vooral met een baby ontstaan er telkens weer situaties die je zeker niet gelukkig maken. Geen wonder dat veel vrouwen het moederschap moeilijker vinden dan ze gedacht hadden. Vooral tijdens het eerste jaar.

Ook als je **EasyBaby** consequent toepast, kom je voor moeilijke situaties te staan. Maar met **EasyBaby** maak je zowel voor jezelf als voor je baby het begin van het leven gemakkelijker. **EasyBaby** voorkomt dat je voortdurend op de rand van je krachten balanceert. Je baby zal gelukkiger en tevredener zijn. En zelf zul je meer ontspannen en rustiger zijn.

Maar het belangrijkste is dat **EasyBaby** ervoor zorgt dat jullie samen iets unieks beleven: samen veel geluk en fantastische momenten delen.

Denk daaraan als die vreugde even ver te zoeken is. Dat zal ongetwijfeld gebeuren. Als de baby geplaagd wordt door krampen, als je niet voldoende melk hebt voor de borstvoeding, als de eerste tandjes voor slapeloze nachten zorgen – dan is het moeilijk om in het krijsende hoopje mens het prachtige geschenk te zien dat het eigenlijk is. Dat is geen probleem. Maar alleen als het een voorbijgaande periode is.

Zorg dat je nooit dat geluk met je kind kwijtraakt. Zeg nooit: zo gaat dat nu eenmaal als je een klein kind hebt. Beschouw de stress en de ontevredenheid als alarmsignalen. Dan moet je in actie komen. Niet door nog meer te doen, maar door meteen over te schakelen naar de kunst van het minder-doen.

Geniet van je baby! Maak hem gelukkig door zelf een gelukkige moeder te zijn.

Register